Algoritmos Funcionais

JOSÉ AUGUSTO NAVARRO GARCIA MANZANO

Analista de sistemas, economista, licenciado em matemática, escritor e professor do IFSP.

Algoritmos Funcionais

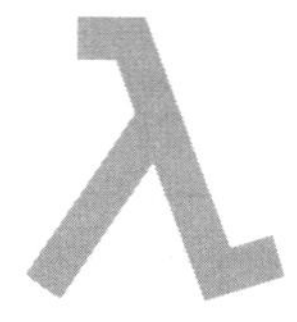

Introdução minimalista à lógica de programação funcional pura aplicada à teoria dos conjuntos

Rio de Janeiro, 2020

Algoritmos Funcionais

Impresso no Brasil — 1ª Edição, 2020 — Edição revisada conforme o Acordo Ortográfico da Língua Portuguesa de 2009.

Produção Editorial
Editora Alta Books

Gerência Editorial
Anderson Vieira

Gerência Comercial
Daniele Fonseca

Produtor Editorial
Illysabelle Trajano
Juliana de Oliveira
Thiê Alves

Assistente Editorial
Leandro Lacerda

Marketing Editorial
Lívia Carvalho
marketing@altabooks.com.br

Coordenação de Eventos
Viviane Paiva
eventos@altabooks.com.br

Editores de Aquisição
José Rugeri
j.rugeri@altabooks.com.br
Márcio Coelho
marcio.coelho@altabooks.com.br

Equipe Editorial
Ian Verçosa
Maria de Lourdes Borges
Raquel Porto
Rodrigo Dutra
Thales Silva

Equipe Design
Larissa Lima
Paulo Gomes

Revisão Gramatical
Thamiris Leiroza
Kamila Wozniak

Layout/Diagramação
Catia Soderi

Capa
Joyce Matos

Publique seu livro com a Alta Books. Para mais informações envie um e-mail para autoria@altabooks.com.br

Obra disponível para venda corporativa e/ou personalizada. Para mais informações, fale com projetos@altabooks.com.br

Erratas e arquivos de apoio: No site da editora relatamos, com a devida correção, qualquer erro encontrado em nossos livros, bem como disponibilizamos arquivos de apoio se aplicáveis à obra em questão.

Acesse o site **www.altabooks.com.br** e procure pelo título do livro desejado para ter acesso às erratas, aos arquivos de apoio e/ou a outros conteúdos aplicáveis à obra.

Suporte Técnico: A obra é comercializada na forma em que está, sem direito a suporte técnico ou orientação pessoal/exclusiva ao leitor.

A editora não se responsabiliza pela manutenção, atualização e idioma dos sites referidos pelos autores nesta obra.

Ouvidoria: ouvidoria@altabooks.com.br

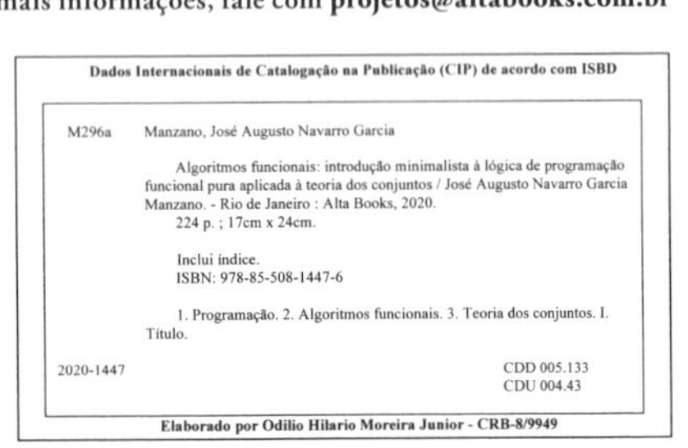
Dados Internacionais de Catalogação na Publicação (CIP) de acordo com ISBD

M296a Manzano, José Augusto Navarro Garcia

Algoritmos funcionais: introdução minimalista à lógica de programação funcional pura aplicada à teoria dos conjuntos / José Augusto Navarro Garcia Manzano. - Rio de Janeiro : Alta Books, 2020.
224 p. ; 17cm x 24cm.

Inclui índice.
ISBN: 978-85-508-1447-6

1. Programação. 2. Algoritmos funcionais. 3. Teoria dos conjuntos. I. Título.

2020-1447 CDD 005.133
CDU 004.43

Elaborado por Odilio Hilario Moreira Junior - CRB-8/9949

Rua Viúva Cláudio, 291 — Bairro Industrial do Jacaré
CEP: 20.970-031 — Rio de Janeiro (RJ)
Tels.: (21) 3278-8069 / 3278-8419
www.altabooks.com.br — altabooks@altabooks.com.br
www.facebook.com/altabooks — www.instagram.com/altabooks

ASSOCIADO

SOBRE O AUTOR

José Augusto Navarro Garcia Manzano é mestre e professor, formado em Análise e Desenvolvimento de Sistemas, Ciências Econômicas e Licenciatura em Matemática, tendo atuado nas áreas de Tecnologia da Informação e Computação e Informática (desenvolvimento de software, ensino e treinamento) desde 1986. Participou do desenvolvimento de aplicações computacionais para áreas de telecomunicações e comércio. Na carreira docente iniciou sua atividade em cursos livres, trabalhando posteriormente em empresas de treinamento, além de atuar desde então nos ensinos técnico e superior.

Atualmente é professor com dedicação exclusiva no IFSP (Instituto Federal de Educação, Ciência e Tecnologia de São Paulo, antiga Escola Técnica Federal). Em sua carreira desenvolveu competências e habilidades para ministrar componentes curriculares de Lógica de Programação (Algoritmos), Estrutura de Dados, Microinformática, Informática, Linguagens de Programação Estruturada, Linguagens de Programação Orientada a Objetos, Engenharia de Software, Sistemas de Informação, Engenharia da Informação, Arquitetura de Computadores e Tecnologias Web. Conhece diversas linguagens de programação imperativas, funcionais e de marcação, tais como: BASIC (clássico e estruturado), COMAL, Logo, Assembly, Pascal, FORTRAN (77 e 90), C, C++, D, Java, Modula-2, C#, Lua, HTML, XHTML, CSS, Javascript, VBA, Ada, Rust, Python, LISP, Haskell, OCaml, Hope, Groovy, Julia e Elixir. É autor de uma centena de obras publicadas, além de artigos no Brasil e exterior.

AGRADECIMENTOS

Ao Pai Celestial, que designou em sua infinita sabedoria a direção profissional de minha vida, fazendo-me descobrir o ser professor. Espero estar sendo digno dessa missão e do propósito a mim conferido.

Especialmente, quero agradecer aos professores Charleno Pires do IFPI e José Oscar Machado Alexandre do IFSP pelas trocas de ideias e o incentivo para que eu viesse a dar atenção à programação funcional. Não poderia deixar de agradecer ao Prof. Donald Sannella, da Universidade de Edimburgo, um dos criadores da linguagem Hope, pelo atendimento, carinho e atenção à minha pessoa ao me dar alguns detalhes sobre sua linguagem.

À minha esposa Sandra e à minha filha Audrey, motivos de constante inspiração ao meu trabalho. Pela paciência nos momentos de ausência quando estou absorto em escrever, dedicando-me ao ensino. Só tenho a agradecer.

A todos os alunos que passaram e passam pela minha vida, que acreditaram e acreditam na minha pessoa e seguiram e seguem as orientações que passo; por me incentivarem continuamente quando me questionam sobre temas que ainda não conheço, por me levarem a um patamar maior por exigirem assim que eu pesquise mais.

A você, amigo leitor, que já me conhece ou não, por estar investindo de forma legal na obtenção deste livro. Obrigado por não fazer fotocópias ou prática de pirataria com esta contribuição de minha pessoa a você.

Vida longa e próspera.

PREFÁCIO

A motivação para o desenvolvimento desta obra veio da aparente ausência de livros voltados ao estudo da lógica de programação funcional no Brasil e de poucos outros livros que tratam de maneira independente o assunto no exterior. São facilmente encontradas obras que tratam as linguagens funcionais em si, mas a apresentação da parte lógica e seu detalhamento operacional de um foco genérico sem a influência direta de uma linguagem não é encontrado.

O problema em fixar conceitos lógicos de um paradigma de programação baseado no estudo de determinada linguagem é a provável aquisição de vícios operacionais, pois uma linguagem pode tratar a mesma questão de maneira diferente de outra. Essa ocorrência pode dificultar o uso de outras linguagens de programação. Nesse sentido, o texto deste livro se isola dessas particularidades apesar de ilustrar cada código representado nas linguagens Haskell e Hope. As ilustrações indicadas são definidas de um ponto de vista genérico com nenhum ou pouco uso (quando necessário) de recursos particulares das linguagens escolhidas.

Por ser uma obra de introdução, não é focada em aspectos avançados da programação funcional, concentrando-se apenas no uso e aplicação de funções e conjuntos. Esse critério foi adotado no sentido de ter uma obra que fique posicionada de forma interdisciplinar entre as disciplinas de linguagem de programação e matemática discreta permeando, tão somente, a temática da teoria de conjuntos. Esse posicionamento é suficiente para trazer para o contexto da programação funcional futuros profissionais que a posterior consigam avançar seus conhecimentos nas técnicas mais arrojadas do paradigma.

Este material pode ser usado sem nenhum problema por qualquer pessoa de qualquer idade que esteja ou não frequentando um curso técnico na área de computação ou curso superior na mesma área ou na área de matemática. No entanto, sua base conceitual é focada principalmente para pessoas que estejam habituadas a programarem computadores com o paradigma de desenvolvimento imperativo e, por esse motivo, alguns estilos, técnicas ou hábitos de programação do paradigma funcional não são aqui aplicados como, por exemplo, o uso de ações condicionais com os comandos *otherwise* ou *where*.

Aparentemente pequeno, com quatro capítulos, este livro busca fundamentar dentro de seu escopo diversas ações matemáticas e de programação importantes dentro do universo funcional.

Os exemplos de aprendizagem são codificados em português funcional e ilustrados nas linguagens de programação formais Haskell e Hope não sendo objetivo ensinar essas linguagens, mas usá-las apenas como elementos de contextualização para demonstrar de duas formas distintas a representação do pensamento lógico expresso em português funcional. A propósito, são usadas dessas linguagens o mínimo de recursos disponibilizados sem entrar em grandes detalhes técnicos, buscando-se sempre desenvolver soluções sobre os problemas com o raciocínio funcional da forma mais genérica possível.

O Capítulo 1 mostra diversos conceitos relacionados a: paradigmas computacionais; aspectos históricos que motivaram o desenvolvimento da programação funcional; linguagens funcionais, seus princípios de operação e estrutura; álgebra; aritmética; conjuntos; funções e sugere o uso de duas linguagens formais de programação funcional para auxílio da fixação da teoria proposta na obra.

No Capítulo 2 são apresentados os princípios operacionais básicos de trabalho, destacando-se a: apresentação de tipos de dados;

variáveis; constantes; operadores aritméticos, relacionais e lógicos; expressões matemáticas e lógicas; definição de funções e constantes.

O Capítulo 3 apresenta os recursos de controle de fluxo de programas, destacando-se: o uso de tomadas de decisão com desvio condicional indireto (correspondência de padrões), desvio condicional direto, além das operações de recursividade simples e em cauda.

No Capítulo 4 é estabelecida a parte principal da obra, onde se destaca as operações de controle com conjuntos de valores. Nesse sentido são apresentadas diversas ações operacionais, tais como: gerenciamento das partes de uma lista (cabeça, cauda, último, arranjo, faixa e oposto); compreensão de listas (par, ímpar, múltiplo, divisor, primo e tamanho); relações com conjuntos (união, intersecção, diferença, classificação, único, possui, junção, membro, igualdade e inclusão); gerenciamento de listas (busca, mostra, replicar, começo, final, separar e fatiar); processamento de sequências (domínio, contradomínio, imagem, mapeamento, filtragem, redução e compactação).

Os Capítulos 2, 3 e 4 possuem uma coleção de 100 exercícios de fixação com foco em eventos matemáticos e estatísticos de baixa e média complexidade que visam auxiliar a fixação dos detalhes operacionais desses capítulos, além dos mais de 50 exemplos de aprendizagem distribuídos no livro e nos arquivos de apoio ao estudo.

Como brinde, você poderá fazer download no site da editora Alta Books (www.altabooks.com.br — procure pelo nome do livro ou ISBN) de um arquivo que contém os códigos formais dos exemplos operacionais escritos em Haskell e Hope, como também do gabarito dos exercícios propostos. Instruções para obtenção estão indicadas no apêndice da obra.

Desejo um excelente começo na aprendizagem do tema lógica de programação funcional, e um grande abraço! Espero que o investimento, ora realizado na aquisição legal deste livro, seja-lhe útil e valha cada centavo investido. Muito obrigado por seu apoio.

Augusto Manzano

SUMÁRIO

FUNDAMENTAÇÃO INICIAL

Este capítulo descreve de forma introdutória detalhes sobre os paradigmas computacionais mais comuns existentes, destacando-se imperativo, declarativo, concorrente e paralelo. São indicados aspectos históricos que norteiam o surgimento do paradigma declarativo funcional e os precipícios que esse paradigma se fundamenta. É apresentada uma rápida revisão de conceitos matemáticos fundamentais à programação funcional como álgebra, aritmética, equações, inequações, conjuntos e funções.

1.1 PARADIGMAS COMPUTACIONAIS

O desenvolvimento de aplicações computacionais nos primórdios da era da computação e mais precisamente por volta da década de 1940 era, em sua maioria, realizado de maneira intuitiva e sem grandes preocupações técnicas. O desenvolvimento de software era produzido no próprio ambiente para uso local com o objetivo de solucionar problemas internos, usado, normalmente, pela própria equipe de desenvolvimento.

Com o passar dos anos e a mudança do eixo de uso das aplicações computacionais do ambiente interno para o ambiente externo o desenvolvimento de aplicações computacionais tornou-se mais complexo exigindo a adoção de sofisticadas técnicas de desenvolvimento e estilos de programação diferenciados. Assim, surgiram basicamente quatro grupos ou categorias de macroparadigmas computacionais: `imperativo`, `declarativo`, `concorrente` e `paralelo`. Um paradigma computacional caracteriza-se em ser um método organizado e formal de realização de tarefas dentro de certo programa que não está relacionado diretamente com a linguagem em si, mas com a forma de resolver um problema do ponto de vista computacional. A forma de classificação (imperativo, declarativo concorrente ou paralelo) afeta a forma de como um programa pode ser desenvolvido. Isso significa dizer que um paradigma de programação não está para as linguagens de programação e sim o inverso: as linguagens de programação são escritas para atender a certo grau de um ou mais paradigmas computacionais.

O `paradigma imperativo` é subdividido nos modelos de desenvolvimento `procedimental` (modular ou estruturado, desenvolvido a partir de sub-rotinas, variáveis locais, variáveis globais e passagens de parâmetro), `orientado a objetos` (estruturado a partir de classes com campos membros de dados, heranças, objetos e sub-rotinas membro na forma de métodos), `orientado a eventos` (ações automáticas executadas a partir de alguma ocorrência operacional definida em um comando ou ação de uma linguagem de programação) e `programação genérica` (definição de estruturas que podem ser aplicadas a qualquer tipo de dado).

O `paradigma imperativo` é, normalmente, utilizado no desenvolvimento de aplicações comerciais e/ou industriais. Para seu uso, o profissional de programação necessita de conhecimentos matemáticos focados em ações aritméticas básicas, tais como: adição, subtração, multiplicação, divisão, potenciação e radiciação. Seu uso baseia-se na definição de programas que passam ordens a partir de um conjunto de instruções ordenadas, que especificam um método de resolução como uma receita com o objetivo de chegar a solução do problema. As linguagens imperativas têm foco no funcionamento dos computadores em si, por ser uma abstração do funcionamento da arquitetura Von-Neumann (lê-se *fon nóiman*) caracterizada principalmente pelos componentes de *memória principal* (onde se armazena o conjunto de dados e código do programa) e *unidade central de processamento* (componente responsável por armazenar temporariamente dados, realizar operações aritméticas ou lógicas e acesso a memória principal).

O *paradigma declarativo* é subdividido nos modelos de desenvolvimento *lógico* (avaliação de predicados lógicos e regras de inferência), *funcional* (manipulação de funções de uma perspectiva eminentemente matemática), *reativo* (uso de fluxos de dados assíncronos ao estilo de grafos) e *descritivo* (uso de fluxo de dados com propagação constante de mudanças). O paradigma declarativo é, normalmente, utilizado no desenvolvimento de aplicações científicas, mas está ganhando espaço no desenvolvimento de aplicações comerciais e industriais. Para seu uso o profissional de programação necessita possuir conhecimentos matemáticos mais apurados além das noções aritméticas e algébricas básicas, como manipulação de conjuntos e funções. De maneira mais ampla, o conhecimento matemático mais adequado para uso desse paradigma vem do estudo da *matemática discreta*. Seu uso baseia-se na definição do que será realizado a partir de poucos elementos de dispersão, com os quais se busca uma solução mais abstrata do problema. O paradigma declarativo é focado na funcionalidade de expressões matemáticas, similar ao uso de calculadoras, baseado no que fazer sem se preocupar em como fazer, Bird & Wadler (1988, p. 1).

O *paradigma concorrente* é definido a partir da execução de duas ou mais tarefas que podem ser iniciadas e encerradas em intervalos de tempos diferentes, sobrepondo-se uma a outra não significando que tais tarefas são executadas ao mesmo tempo, podendo fazer uso em conjunto de operações a partir dos paradigmas *imperativo* e *declarativo*.

O *paradigma paralelo* é definido a partir da execução simultânea de duas ou mais tarefas que devem ser iniciadas e encerradas ao mesmo tempo, necessitando de processadores de múltiplas *cores* ou múltiplos processadores para que os processos ou *threads* sejam executados ao mesmo tempo, podendo fazer uso em conjunto dos paradigmas *imperativo* e *declarativo*.

A Figura 1.1 demonstra o mapeamento básico de uma estrutura de distribuição de paradigmas computacionais.

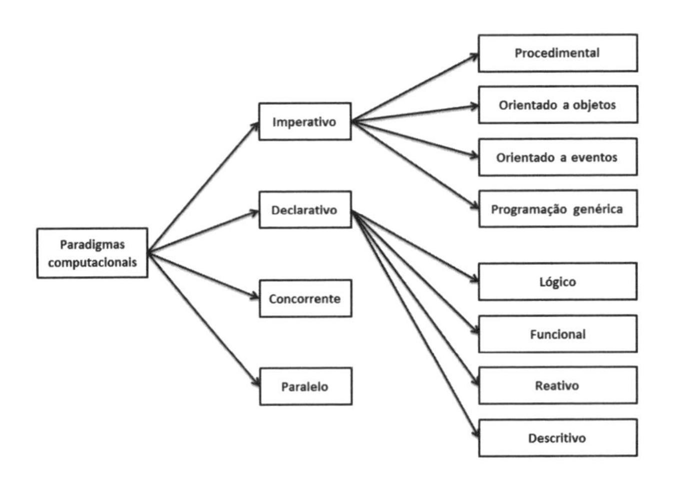

Figura 1.1 — Estrutura básica dos paradigmas computacionais.

Cada paradigma possui, de certa forma, as linguagens que o fazem mais conhecidos no meio em que são usados: *imperativo procedimental* (Pascal, C e C++), *imperativo orientado a objetos* (SmallTalk, Eiffel, C++, Java e C#), *imperativo orientado a eventos* (Visual Basic, Object Pascal, C# e Javascript relacionados ao uso de formulários), *imperativo genérico* (PolyP e C++ com *templates*), *declarativo lógico* (Lisp e Prolog), *declarativo funcional* (Lisp, Logo, Haskell, Erlang, Hope, OCaml e Elixir), *declarativo reativo* (Akka, Flapjax e Lucid), *declarativo descritivo* (HTML e SQL), *concorrente* (Ada, Erlang, Go, Rust e Elixir) e *paralelo* (CRAFT, MP Fortran, HPC++ escrita na linguagem C++ e Elixir).

Apesar de alguma preferência de uso dos paradigmas imperativo e declarativo (mais comuns) respectivamente para aplicações comerciais e industriais e/ou científicas, nada impede de se fazer uso desses modelos de forma combinada para qualquer tipo de aplicação. Diversas linguagens de programação operam a partir de múltiplos paradigmas, dando suporte à programação declarativa, imperativa, paralela e concorrente como, por exemplo, as linguagens Rust, Lua, Python, C++, entre outras.

1.2 ASPECTOS HISTÓRICOS

A partir de uma visão conceitual sobre os paradigmas computacionais é interessante entender como tudo isso ocorreu desde a década de 1940 quando do lançamento do primeiro computador eletrônico ENIAC (`Electronic Numerical Integrator and Computer`) no ano de 1946. O ENIAC começou a ser desenvolvido em 1943 com o objetivo de ser usado para cálculos de balística durante a II Guerra Mundial (1939–1945), o que acabou por não acontecer. Com o término da II Guerra Mundial, os Estados Unidos da América (EUA) iniciaram com a União das Repúblicas Socialistas Soviéticas (URSS) a chamada Guerra Fria que durou até o ano de 1991, quando a URSS deixou de existir ocorrendo a separação dos países membros. O período da Guerra Fria se caracterizou por rivalidades nas áreas: militar, econômica, política, ideológica e científica, o que trouxe, inclusive, grandes avanços na área de computação culminando no que se tem na atualidade.

Um dos grandes episódios durante a Guerra Fria foi o desenvolvimento da corrida espacial entre EUA e URSS na busca da supremacia na exploração espacial durante os anos de 1957 a 1975. Isso fez com que, em 1957, a URSS colocasse na órbita terrestre o primeiro satélite artificial chamado *`Sputnik 1`*, e em 1961 patrocinasse o primeiro voo orbital tripulado pelo cosmonauta Yuri Alekseievitch Gagarin com a nave *`Vostok I`*. Em resposta, os EUA, em 1969, patrocinaram a operação de primeira alunagem com a nave *`Apollo 11`* tripulada pelos astronautas Neil Armstrong, Edwin Aldrin e Michael Collins.

O uso de computadores por empresas comerciais e industriais tem sua origem durante a década de 1950. Nesse período, o desenvolvimento de programas, ainda mesmo que precário, era produzido com linguagens de baixo nível (linguagens de máquina e assemblys). Durante 1954 é lançada pela equipe de cientistas da computação da empresa IBM (`International Business Machines`), chefiada por John Backus, a primeira linguagem de alto nível em estilo imperativo semiestruturado chamada FORTRAN (`FORmula TRANslation`) para aplicações matemáticas. Depois em 1958 (após o fim da II Guerra Mundial e início da Guerra Fria) é lançada a primeira linguagem funcional em estilo declarativo no MIT (`Massachusetts Institute of Technology`) por John McCarthy chamada Lisp.

A linguagem Lisp no seu desenvolvimento tem como influência diversos trabalhos produzidos por vários cientistas, destacando-se: Haskell Brooks Curry (teoria da lógica combinatória, 1927), Kurt Gödel (teoria das funções recursivas, 1931), Alan Turing (máquina de Turing, 1936), Alonzo Church (teoria do cálculo lambda, 1936), Stephen Cole Kleene (teoria da computabilidade: funções computáveis, 1938) e Emil Leon Post (máquina de estado finito, 1943), que por sua vez são a base de fundamentação do *paradigma declarativo funcional*. O desenvolvimento da linguagem Lisp decorreu das necessidades de alguns cientistas da computação estarem realizando pesquisas nas áreas de inteligência artificial, cálculo simbólico, comprovações de teoremas, sistemas baseados em regras e processamento de linguagem natural.

Apesar de ser o paradigma declarativo funcional o segundo paradigma mais antigo desenvolvido, acabou não sendo muito utilizado devido a um problema colateral de sua funcionalidade: o alto consumo de memória, tornando seu uso apenas viável mais recentemente. Esse problema decorreu do fato de, que no ano de 1957, início da corrida espacial, *1 megabyte* de memória custar algo em torno de US$400.000.000,00. Quando em 1975, com a popularização dos microprocessadores e o fim da Guerra Fria, *1 megabyte* de memória passou a custar algo em torno de US$50.000,00. Em

1985, *1 megabyte* de memória passou a ter um custo aproximado de US$1.500,00 chegando ao preço médio de US$10,00 em 2019.

A queda de preço no custo das memórias proporcionou computadores com maior capacidade de processamento tornando o uso de linguagens funcionais mais viáveis, o que justifica o aumento da popularidade e interesse pelo *paradigma declarativo funcional*.

Outro fato curioso em relação ao uso de linguagens funcionais é que devido ao seu apelo matemático além do uso em aplicações científicas, essas linguagens foram, por muitos anos, usadas no contexto acadêmico e mais recentemente estão sendo usadas em empreendimentos comerciais e industriais. Isso ocorre, não só devido ao baixo custo das memórias, mas também a capacidade dos microprocessadores mais recentes terem suporte as ações de processamento com paralelismo/concorrência e a necessidade de desenvolver programas mais dinâmicos com maior facilidade de manutenção, características oferecidas por linguagens funcionais. Mas há ainda, o fato de que diversas linguagens de programação mais tradicionais como C++, Java, C#, JavaScript, Ruby, Go, Python, entre outras vêm ao longo de seus desenvolvimentos adotando capacidades de operações funcionais, até então não existentes. Além das linguagens clássicas, diversas outras linguagens são lançadas com adoção direta do paradigma declarativo funcional como: Elixir, Clojure, Scala, Rust, Elm, entre outras.

1.3 PRINCÍPIOS DE PROGRAMAÇÃO FUNCIONAL

A *programação funcional* é uma atividade de ação lógica baseada no *paradigma declarativo funcional* que foca sua ação em resultados, ou seja, no que deve efetivamente ser computado e não no processo de como fazer. Esse estilo de programação trata programas como expressões e transformações que modelam fórmulas matemáticas, na forma de *expressões matemáticas*, categorizando os problemas computacionais de maneira diferente das linguagens imperativas como é indicado por Ford (2014, p. 12). O paradigma declarativo funcional, em vez de usar instruções, usa expressões no sentido de produzir valores como respostas, trata-se de uma forma de identificar padrões e extrair funções que resolvam problemas computacionais.

As *expressões matemáticas* são o cerne da programação funcional tendo por característica a capacidade de descrever, sempre, um valor a partir de outros valores fornecidos para a operação, se assim existirem. Uma expressão matemática pode conter a definição de incógnitas que representam quantidades desconhecidas chamadas, em programação, de variáveis, nesse caso, imutáveis. Todo matemático entende que as incógnitas de uma expressão matemática não variam seus valores dentro do contexto de sua operação após serem definidos, pois devido a sua natureza denotam sempre a mesma quantidade dentro dos limites de ação de certa expressão matemática como é apontado por Bird & Wadler (1988, p. 4).

Em essência a programação funcional considera o uso e a avaliação de funções, computação simbólica e processamento de listas na forma de expressões matemáticas que evitam estados mutáveis de dados (funções puras) sem efeitos colaterais, pois o resultado de retorno de uma função será sempre o mesmo se a entrada também o for (transparência referencial), auxiliando o desenvolvimento de programas mais robustos, de fácil manutenção e fáceis de serem testados. Esse paradigma define a computação como uma série de expressões matemáticas baseadas no uso de funções e conjuntos. Os programas são escritos de forma concisa seguindo uma especificação matemática, uma vez que a estrutura principal de controle de um programa é uma função (ponto de vista matemático) e o foco é direcionado no que se deve fazer e não em como deve ser feito.

É um modelo que baseia a lógica de programação a partir de um conjunto de funções ou de expressões matemáticas. Assim sendo, a função matemática `f(x) = x + 1` diz que dado um argumento *X* em `f(x)`, seu domínio (conjunto de entrada), há sempre o retorno do valor sucessor de *X*, sendo este *X + 1*, seu contradomínio (conjunto de saída). Se fornecido para a função o argumento 5 o retorno será 6, pois `f(5) = 6`. Desta forma, um programa funcional segue uma estrutura declarativa e não imperativa, onde cada elemento de um conjunto domínio usado como entrada de uma função `f(x)` terá como saída um valor de elemento do conjunto contradomínio (imagem) `x + 1`.

A ação de aplicação lógica na programação funcional se caracteriza por ser a aplicação de métodos de raciocínio, ou seja, fornece regras e técnicas para definir se certo argumento é válido ou não. O raciocínio lógico usado na ciência matemática serve para verificar e validar teoremas e o raciocínio lógico usado na ciência da computação serve para verificar e testar se os programas estão ou não corretos.

No paradigma da programação funcional, uma função pode ser usada como argumento de outra função. Devido a essa característica, a programação funcional não é operada com variáveis de estado (variáveis que sofrem alterações de seus valores ao longo da execução de um programa a qualquer momento e por qualquer motivo) e sim com variáveis imutáveis. Isto posto, significa que se um valor é associado a uma variável no contexto funcional será este imutável até a conclusão do processamento do programa.

A programação funcional é realizada a partir da separação das estruturas de dados e das funções que operam sobre essas estruturas, sendo referenciadas como listas ao estilo máquinas de estado finito. As funções como elementos de primeira ordem podem receber outras funções como argumentos. Isso permite realizar o armazenamento de funções em listas e usá-las em seu processamento. Esse efeito é chamado *callback* (função passada a outra função como argumento).

As funções que recebem ou retornam como argumentos outras funções são chamadas de funções de ordem superior, funções de primeira ordem ou cidadãos de primeira classe (forma funcional), sendo esta uma maneira de se fazer a reutilização de código dentro do paradigma descritivo funcional.

A programação funcional não se utiliza de laços como se faz no paradigma imperativo. Para ações de repetições é usado o conceito de recursividade, onde uma função por sua própria natureza de definição pode chamar a si mesma até que certa condição seja estabelecida.

No paradigma imperativo estruturado ou orientado a objetos, os programas são baseados no uso de variáveis mutáveis (variáveis de estado), atribuições de valores em variáveis que podem ser alteradas a qualquer instante e estruturas de blocos com execução de laços e a definição de sub-rotinas que operam aos estilos de procedimento e/ou função. Já no paradigma declarativo funcional os programas não se utilizam de atribuições em variáveis e sim de asserções, as variáveis são imutáveis (uma vez estabelecido um valor este não é alterado até a conclusão da função) e os programas possuem unicamente a definição de funções.

No sentido de demonstrar as diferenças básicas existentes entre os paradigmas imperativo e declarativo considere o uso de uma função chamada `quadrado(n)` que apresente o resultado do quadrado do valor indicado como parâmetro como exemplificado em Bird & Wadler (1988, pp. 2–5).

Primeiramente note os detalhes do estilo imperativo codificado a partir de um código expresso na forma PDL (`Program Design Language`) ao estilo *`português estruturado`*.

```
função quadrado (n : inteiro) : inteiro
início
  quadrado = n ^ 2
fim
```

Agora observe os detalhes de uma ação similar codificada ao estilo declarativo funcional a partir de um código expresso ao estilo *`português funcional`*.

```
quadrado (número) >> número
quadrado (n) << n ^ 2
```

No exemplo funcional, há na primeira linha do código a definição do cabeçalho da função `quadrado`, de seu argumento do tipo `numérico` entre parênteses representando a entrada de valores na função e a definição do retorno de tipo `número` ao lado direito do símbolo de extração ">>". A segunda linha indica a ação efetiva a ser realizada pela função ao constituir a variável imutável local *N* como parâmetro operacional efetivo da função sendo a correspondência de padrão da função. Ao lado direito do símbolo "<<" (símbolo de asserção) é definido o resultado de retorno da função como o quadrado do valor definido para *N*. Uma vez definido o valor para a variável *N*, na chamada da função, esse valor não sofrerá nenhuma outra alteração. Observe que a versão funcional é mais compacta que a versão imperativa.

Os programas do paradigma funcional possuem como característica avaliarem certa expressão matemática reduzindo-a ao seu equivalente mais simples. Por exemplo, a redução da expressão matemática para cálculo de quadrado a partir da função `quadrado(3 + 4)` pode internamente no computador, como apontam Bird & Wadler (1988, p. 5), ocorrer como:

```
quadrado (3 + 4) >> (3 + 4) ^ 2 [adição de 3 com 4 antes da exponenciação]
                 >> 7 ^ 2       [quadrado de 7]
                 >> 49          [resultado da exponenciação]
```

A ocorrência *[adição de 3 com 4 antes da exponenciação]* refere-se ao uso da adição indicada como parâmetro *3 + 4* para o argumento *N* da função `quadrado(n)`. A ocorrência *[quadrado de 7]* se refere à aplicação da regra *7 ^ 2* que resulta em 49 como retorno da operação da função.

Nem tudo são flores, a programação funcional possui detalhes negativos a serem considerados, destacando-se ser um paradigma menos conhecido e exigir grande mudança no modo de pensar. Por ser um modelo de mais alto nível usar ações de baixo nível (muitas vezes necessária) é impossível ou oneroso para o processamento da máquina. Outro ponto negativo é que as execuções de programas funcionais consomem, em média, mais memória e, podem em algumas linguagens, serem executados mais lentamente que programas imperativos. Assim sendo, considere alguns pontos de desvantagem apontados por Bhadwal (2019):

- Valores imutáveis combinados com recursão podem levar a uma redução no desempenho;
- Em alguns casos escrever funções puras reduz a legibilidade do código;
- Embora seja fácil escrever funções puras, combiná-las com o restante do programa, bem como com as operações de entrada e saída poderá tornar a tarefa de uso mais difícil;
- Escrever programas com recursividade em vez de usar laços para o mesmo tipo de ação pode ser uma tarefa mais difícil.

Os detalhes aqui indicados não são necessariamente encontrados em todas as linguagens funcionais, uma vez que, como já exposto, a programação funcional é uma estratégia de desenvolvimento e não necessariamente uma linguagem em si. Dessa forma, mesmo em linguagens de programação sem suporte ao paradigma declarativo funcional é possível fazer uso de alguns desses detalhes.

1.4 LINGUAGENS FUNCIONAIS

O objetivo de uma linguagem funcional é imitar a implementação de funções matemáticas ao máximo possível, segundo Sebesta (2018, p. 636). Assim sendo, a partir do entendimento de que o paradigma declarativo funcional é um método de operação no desenvolvimento de programas de computadores e não é em si a linguagem de programação, cabe descrever sobre as ferramentas que atendem a esse paradigma. É importante ressaltar que a programação funcional é fundamentada basicamente em duas perspectivas: uso de funções puras e a eliminação de efeitos colaterais ocorridos com o uso de variáveis de estado, acrescentando-se a isso o fato de as linguagens funcionais fazerem uso de estruturas de dados baseadas em conjuntos (listas, mapas, dicionários, tuplas, conjuntos, entre outros).

Em relação à disponibilidade de linguagens funcionais, encontram-se as chamadas linguagens puras e impuras (ou híbridas) que operam com múltiplos paradigmas e que dão suporte ao modelo funcional. O problema da aprendizagem de qualquer linguagem de programação é o desenvolvimento do chamado *preconceito tecnológico* que é adquirido pelo estudante, muitas vezes dentro da sala de aula, ao achar que a linguagem que está aprendendo é a melhor opção que existe e que o paradigma em uso é melhor que os demais existentes. No contexto de desenvolvimento é necessário, na maior parte das vezes, ter a mente aberta para combinar paradigmas e tirar o máximo proveito deles, neutralizando os pontos negativos que possam existir entre esses paradigmas. Lembre-se de que na área de desenvolvimento de software se aplica sem exceção a célebre frase de Aristóteles: "A soma das partes torna-se maior que o todo."

As linguagens funcionais puras possuem como característica o uso de funções operacionalizadas a partir de variáveis imutáveis não gerando efeitos colaterais, não dependendo de variáveis globais ou locais, utilizando-se de recursividade para a execução de laços e realizando iteração em coleções de dados. Em contraposição linguagens funcionais impuras operam com entrada e saída de dados de forma explícita, utilizando-se de variáveis de estado, aceitando ações imperativas devido ao fato de serem híbridas e adotarem mais de um paradigma para a produção de programas. As operações de acesso à memória ocorrem automaticamente quando uma função é chamada.

Uma linguagem funcional típica deve dar suporte ao menos aos seguintes recursos:

- Funções de primeira classe (primeira ordem ou cidadãos de primeira classe);
- Funções de alta ordem (ordem maior, ordem superior ou forma funcional);
- Imutabilidade de dados;

- Funções puras;
- Recursividade;
- Manipulação de listas;
- Manipulação de tuplas.

O recurso `funções de primeira classe` ocorre quando uma função pode ser atribuída a uma variável, passada como valor a outra função, tratando a função passada como se fosse um dado convencional como um valor ou retornada de outras funções.

O recurso `funções de alta ordem` ocorre quando uma função pode receber uma função como argumento ou retornar uma função como seu valor.

O recurso `imutabilidade de dados` ocorre quando certa variável recebe uma atribuição de valor e após esta ocorrência não permite mais a alteração desse valor.

O recurso `funções puras` ocorre quando uma função recebe um argumento de entrada, retornando sempre o mesmo valor de saída sem ocorrência de efeitos colaterais.

O recurso `recursividade` ocorre quando uma função efetua sucessivas chamadas, controladas, a si mesma até chegar ao resultado esperado sem o uso de laços.

O recurso `manipulação de listas` ocorre a partir do uso de um conjunto de dados de mesmo tipo (dados homogêneos) delimitados entre colchetes. As linguagens que possuem essa estrutura de dados têm à disposição um rol de operações existentes para o gerenciamento desses dados. Uma lista é uma estrutura de dados mutável, podendo ter elementos acrescidos ou retirados a qualquer momento.

O recurso `manipulação de tuplas` ocorre a partir do uso de um conjunto de dados de tipos diferentes (dados heterogêneos) delimitados entre parênteses. As linguagens que possuem essa estrutura de dados têm à disposição um pequeno rol de operações existentes para o gerenciamento desses dados. Uma tupla é uma estrutura de dados imutável não podendo dela serem retirados ou adicionados outros dados.

O conjunto de linguagens funcionais disponíveis para uso é muito grande, desde linguagens tradicionais até linguagens com lançamentos mais recentes. Segue breve lista de linguagens funcionais puras e impuras: linguagens puras: *Agda* (2007), *Elm* (2012), *Haskell* (1990), *ML* (1980), *Miranda* (1985), *Lambdascript* (2017) e *SASL* (1972); linguagens impuras: *Erlang* (1986), *Elixir* (2011), *F#* (2005), *Lisp* (1958), *Logo* (1967), *Python* (1990) e *Rust* (2010).

Resumidamente, pode-se dizer que, do ponto de vista funcional, um programa é um conjunto de definições na forma de funções, que por sua vez são formadas por associações de um rótulo de identificação e um valor que representam em si certa função.

1.5 ÁLGEBRA E ARITMÉTICA

A programação funcional tem como princípio a aplicação dos conceitos de funções de um ponto de vista matemático. Por sua vez tem também relação com a teoria de conjuntos, os quais dependem de conhecimentos relacionados à aplicação de álgebra e aritmética.

A *aritmética* é um ramo da ciência matemática que lida com elementos numéricos e as possíveis operações entre esses elementos: adição (+), subtração (-), multiplicação (.), divisão (:), potenciação e radiciação. As operações aritméticas são representadas por constantes numéricas com auxílio de *operadores matemáticos* (chamados na ciência da computação de *operadores aritméticos*), os quais estabelecem as relações numéricas entre si, por exemplo, $3 + 2 = 5$; $8 : 4 = 2$; $6 \cdot 4 = 24$ ou $7 - 6 = 1$ (como representantes das operações matemáticas básicas), entre outras possibilidades e considerando-se em sua extensão as operações para os cálculos de potenciação $3^2 = 9$ e radiciação $\sqrt{9} = 3$.

A *álgebra*, como ramo da ciência matemática, tem por finalidade generalizar as ações aritméticas a partir da configuração de expressões matemáticas na forma de *equações* que representam operações de igualdade (=), ou seja, equivalência a partir de um ou mais valores desconhecidos na forma de *incógnitas* (letras que representam números desconhecidos) chamados de *variáveis* na ciência da computação como, por exemplo, as operações $x = a + b$; $x = a : b$; $x = a \cdot b$ ou $x = a - b$. Além das equações, a álgebra generaliza ações baseadas em *inequações* que representam desigualdades (≠), ou seja, uma relação de comparação a partir dos símbolos: maior que (>), menor que (<), maior ou igual a (≥) e menor igual a (≤), indicando pelo menos um valor desconhecido na forma de incógnita como, por exemplo, as operações $x > a + 2$; $x < a$ ou $x \geq a - b$. Na ciência da computação os símbolos que estabelecem inequações são chamados de *operadores relacionais*.

Os valores representados aritmeticamente ou algebricamente são elementos que pertencem a certo conjunto numérico, podendo ser conjunto: *natural*, *inteiro*, *racional*, *irracional*, *real*, *imaginário* ou *complexo*.

Como qualquer valor numérico pode ser representado por incógnitas, é possível a partir das operações de adição (e sua oposição como subtração) e multiplicação (e sua oposição como divisão) estabelecerem relações das propriedades: *associativa*, *comutativa* e *distributiva*, considerando-se a existência de valores neutros e opostos.

Considerando as incógnitas (ou variáveis) *A*, *B* e *C* é possível estabelecer as relações de propriedades a partir das operações matemáticas básicas, onde é possível substituir o lado esquerdo pelo direito ou vice-versa. As relações de propriedades podem ser consideradas como igualdades algébricas (raciocínio equacional):

- Associativa = $(a + b) + c = a + (b + c)$ e $(a \cdot b) \cdot c = a \cdot (b \cdot c)$
- Comutativa = $a + b = b + a$ e $a \cdot b = b \cdot a$
- Elemento neutro = $a + 0 = 0 + a = a$ e $a \cdot 1 = 1 \cdot a = a$

- Elemento oposto = `a + (-a) = 0` e `a · (1 / a) = 1`
- Propriedade distributiva = `a · (b + c) = a · b + a · c`

A partir da existência de valores algébricos e aritméticos, torna-se possível definir expressões matemáticas binárias (os operadores aritméticos são mecanismos binários de execução de cálculos) que operam sobre esses valores. Sendo este princípio, uma das bases operacionalizadas no paradigma descritivo funcional.

Se uma expressão for definida a partir de valores aritméticos, como `2 + 5 · 3`, está será uma *expressão aritmética* e se usado valores algébricos `a + b · c` ou valores aritméticos e valores algébricos `a + b · 3` ter-se-á uma *expressão algébrica.*

1.6 CONJUNTOS

Um conjunto se caracteriza por ser uma coleção de elementos de natureza homogênea ou heterogênea de diversas naturezas. Nesta obra, são considerados, por questões de praticidade, apenas o uso de conjuntos formados por valores numéricos. Um conjunto pode estar vazio `{}` ou representar um universo `U`, quando possui elementos que são relevantes a determinado contexto.

Basicamente todos os conceitos operacionalizados pela área da computação são fundamentados sobre conjuntos, sendo uma estrutura que permite agrupar elementos possibilitando a definição de estruturas mais complexas como aponta Menezes (2010, p. 25).

A representação matemática de conjuntos é feita a partir do uso de letras maiúsculas na definição de seus nomes de identificação, um símbolo de igualdade com a coleção de valores separados por vírgulas e delimitados entre chaves.

```
A = {1, 2, 3, 4, 5}
```

Na ciência da computação, a representação de um conjunto pode ser associado a uma variável (indicada tanto em letra maiúscula como em letra minúscula) podendo ser delimitado graficamente com os símbolos de chaves, parênteses ou colchetes, dependendo, é claro, da linguagem de programação em uso. Normalmente, se usam na definição computacional de conjuntos os símbolos de colchetes.

```
A = [1, 2, 3, 4, 5]
```

O tema conjuntos é estudado por um ramo matemático chamado *teoria dos conjuntos* e, neste sentido, na maioria das vezes, considera apenas os elementos de um conjunto que são relevantes ao seu contexto, o que pode fugir do contexto do universo da programação funcional.

A teoria de conjuntos determina que elementos e conjuntos possuam dois estados de relação: *pertinência* e *inclusão*. A *pertinência* se refere ao estado de certo elemento pertencer a determinado conjunto e a *inclusão* ocorre quando a relação é estabelecida entre dois conjuntos (relação binária). As operações binárias de inclusão entre os conjuntos *X* e *Y*, são:

- União ($X \cup Y$)
- Intersecção ($X \cap Y$)
- Complemento — diferença de conjuntos ($U \setminus X$ ou X^c)
- Diferença simétrica (\ ou -)

A união entre dois ou mais conjuntos é a junção de todos os elementos pertencentes a cada conjunto ou de todos os conjuntos. A união dos conjuntos {1, 2, 3, 4} ∪ {3, 4, 5, 6} resulta no conjunto {1, 2, 3, 4, 5, 6}.

A intersecção entre dois ou mais conjuntos é composto por todos os elementos existentes em todos os conjuntos. A intersecção dos conjuntos {1, 2, 3, 4} ∩ {3, 4, 5, 6} resulta no conjunto {3, 4}.

O complemento de um conjunto *X* se refere aos elementos que não fazem parte do conjunto universo, ou seja, o complemento de *X* em relação a *U* (conjunto universo), sendo o resultado de *U* - *X*, onde o conjunto *X* é formado pelos elementos do conjunto *U* que não pertencem ao conjunto *X*. O complemento dos conjuntos {1, 2, 3, 4} \ {3, 4, 5, 6} resulta no conjunto {1, 2}, já o complemento dos conjuntos {3, 4, 5, 6} \ {1, 2, 3, 4} resulta no conjunto {5, 6}.

A diferença simétrica entre conjuntos é o resultado de todos os elementos que são membros de cada um dos conjuntos, mas não em todos eles. A diferença simétrica dos conjuntos {1, 2, 3, 4} \ {3, 4, 5, 6} resulta no conjunto {1, 2, 5, 6}. Esta operação equivale a (X ∪ Y) \ (X ∩ Y).

Por ser indicado o uso de conjuntos com valores numéricos, podem ser considerados os conjuntos de números reais (R), composto pelos conjuntos de números irracionais (I) e dos números racionais (Q). O conjunto de números racionais é composto pelo conjunto dos números inteiros (Z), que por sua vez é composto pelo conjunto de números naturais (N). Além desses conjuntos há o conjunto de valores imaginários (i) que conjugado com o conjunto de valores reais forma o conjunto de números complexos (C). Observe a Figura 1.2.

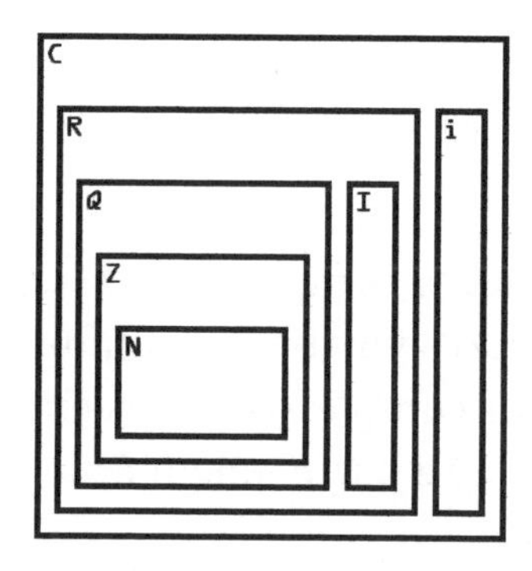

Figura 1.2 — Composição da estrutura de conjuntos.

O conjunto de números naturais (N = `natürlich`, natural no idioma alemão) serve para representar quantidades. Inicialmente o valor zero não fazia parte deste conjunto, mas com a necessidade de representar quantidades nulas este valor foi acrescido.

O conjunto de números inteiros (`Z` = `zahl`, número inteiro no idioma alemão) surge da necessidade de representar perdas ou valores de dívidas. Este conjunto possui todos os números naturais e seus correspondentes negativos.

O conjunto de números racionais (`Q` = `quotient`, quociente nos idiomas alemão/inglês) surge da necessidade de representar partes de um todo. Este conjunto possui todos os números do conjunto `Z` com `N`.

O conjunto de números irracionais (`I` = `irrational`, irracional nos idiomas alemão/inglês) surge da obtenção de valores numéricos que não são representados a partir de frações de números inteiros e naturais, tendo infinitas casas decimais depois da vírgula (ou ponto na computação) não sendo dízima periódica.

O conjunto de números reais (`R` = `real`, real no idioma inglês) é formado por todos os números dos conjuntos racionais e irracionais. Este é um conjunto bastante importante, principalmente para a área de computação.

O conjunto de números imaginários (`i` = `imaginär`, imaginário no idioma alemão) contém todos os valores de raízes negativas cujo índice da raiz seja um valor numérico par, como o uso de bases negativas em raízes quadradas. Este conjunto não depende dos demais conjuntos.

O conjunto de números complexos (`C` = `complex`, complexo no idioma inglês) é formado a partir dos conjuntos dos números reais e imaginários. Um valor complexo é representado ao estilo `a + bi`, onde *A* é a parte real e *B* é a parte imaginária.

Nesta obra, para a representação genérica de conjuntos, do ponto de vista computacional, serão usados, por maior conveniência, valores numéricos separados por vírgulas e delimitados entre colchetes por ser este o estilo mais comum adotado nas linguagens funcionais.

1.7 FUNÇÕES

Função é um recurso usado na ciência matemática para estabelecer uma relação entre elementos de dois conjuntos. É uma forma de se estabelecer o mapeamento dos membros existentes entre um conjunto domínio com um conjunto imagem. Considerando os conjuntos *X* e *Y* de modo que o primeiro conjunto *X* possua alguma relação com o segundo conjunto *Y*, ter-se-á a definição de uma relação e, assim, a existência de uma função. Desta forma, a relação estabelecida entre os conjuntos será uma função de *X* em relação a *Y* se, e somente se, para todo elemento do conjunto *X* exista um único elemento no conjunto *Y* de modo que haja uma relação entre os elementos dos dois conjuntos.

Considerando que o conjunto *X* (domínio) seja formado pelos valores 1, 2, 3 e 4 e o conjunto *Y* (contradomínio) formado pelos valores 2, 4, 6, 8 e 9, tem-se no conjunto *Y*, como imagem, os valores 2, 4, 6 e 8 resultantes da função `f(x) = 2x`, onde *X* indicado em `f()` é um elemento pertencente ao conjunto *X* e `2x` é um elemento imagem do conjunto *Y*. A Figura 1.3 mostra a relação existente entre os conjuntos *X* e *Y*.

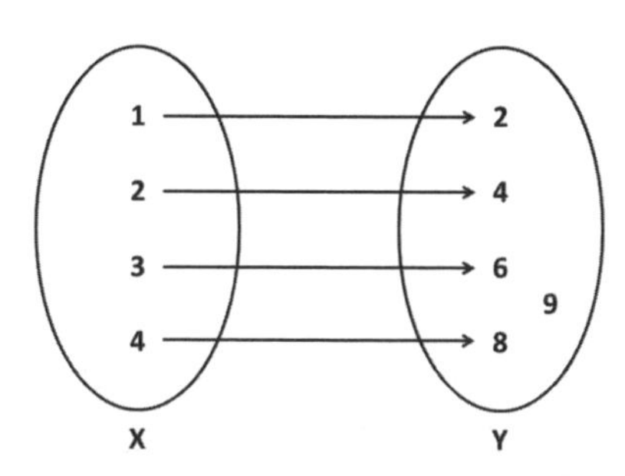

Figura 1.3 — Relação entre os conjuntos domínio X e contradomínio Y — Função injetora.

A partir da existência de uma função esta pode ser classificada como: injetora, sobrejetora ou bijetora.

Uma função é ***injetora*** quando cada elemento do domínio *X* associa-se a um único elemento do contradomínio *Y*, ou seja, quando para cada elemento do contradomínio existe no máximo um elemento pertencente ao domínio que se relaciona no contradomínio, podendo existir elementos do contradomínio que não são associados aos elementos do domínio, ou seja, não são imagem do domínio como indica a Figura 1.3. Se existir no contradomínio um elemento associado a mais de um elemento do domínio a função geradora da imagem não é injetora. Considerando a função `f(x) = x²` para os conjuntos domínio *X* com valores -2, 2, 4 e contradomínio *Y* com valores 4, 5 e 16, como mostra a Figura 1.4, ter-se-á a definição de uma função não injetora.

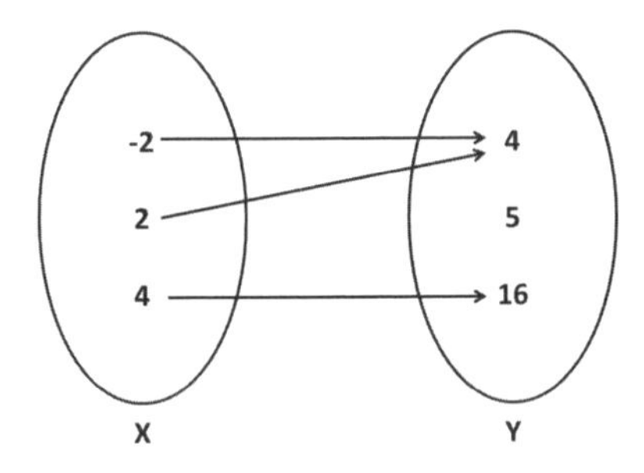

Figura 1.4 — Função não injetora.

Uma função é *sobrejetora* quando cada elemento do domínio *X* associa-se a um elemento do contradomínio *Y* havendo no contradomínio no máximo um elemento relacionado a um elemento do domínio, podendo existir elementos do contradomínio que não são associados aos elementos do domínio. Considere o conjunto domínio *X* com os valores 1, 2, 3 e -3 e o conjunto contradomínio *Y* com os valores 1, 4 e 9 obtidos a partir da função `f(x) = x²` como apresenta a Figura 1.5.

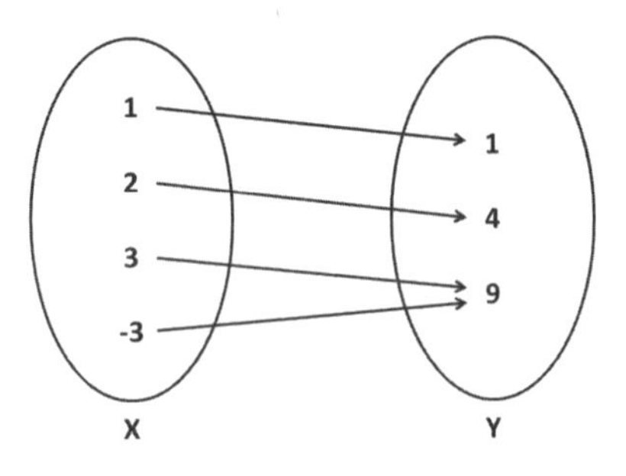

Figura 1.5 — Função sobrejetora.

Se existir no contradomínio um elemento que não tenha relação com ao menos um elemento do domínio a função geradora da imagem não é sobrejetora. Considerando a função `f(x) = x`^{2} para os conjuntos domínio *X* com valores `-1`, `2`, `3` e `-3` e contradomínio *Y* com valores 1, 4, 8 e 9, como mostra a Figura 1.6 ter-se-á a definição de uma função não sobrejetora.

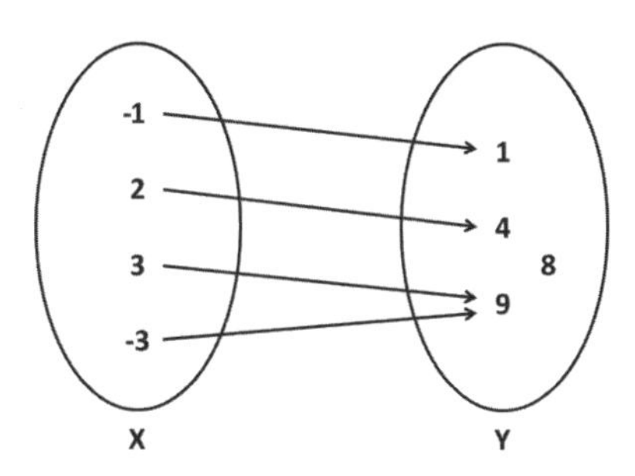

Figura 1.6 — Função não sobrejetora.

Uma função é *bijetora* quando todos os elementos do domínio possuem um elemento no contradomínio correspondente, ou seja, os conjuntos possuem o mesmo número de elementos. Uma função é chamada bijetora quando é injetora e sobrejetora ao mesmo tempo.

As funções servem para gerar resultados como imagem de um valor ou mais valores referenciados como domínio. A programação funcional lança mão desse recurso para compor parte de suas operações e considera em seu escopo de ação os mesmos conceitos estabelecidos para a ciência matemática. Desta forma, o paradigma funcional deseja que as funções na programação funcional sejam operadas de forma pura, sem efeitos colaterais e que sejam de primeira ordem.

Computacionalmente, uma função pode ser entendida como sendo uma rotina de programa ou a definição de uma expressão aritmética ou lógica que a partir de um argumento de entrada fornece sempre um valor de saída como resposta de sua ação. Essa definição não é diferente para nenhum paradigma de programação, podendo-se acrescentar que no caso do paradigma declarativo funcional o conceito de função fica mais próximo do contexto matemático.

Matematicamente, uma função é uma maneira de expressar dois valores existentes em diferentes conjuntos. Desta forma, todos os elementos do primeiro conjunto, chamado domínio, devem ser relacionados aos valores do segundo conjunto, contradomínio. No entanto, pode acontecer de existir no segundo conjunto valores que não estejam relacionados com os elementos do primeiro conjunto. A Figura 1.7 mostra a relação do que é ou não é função.

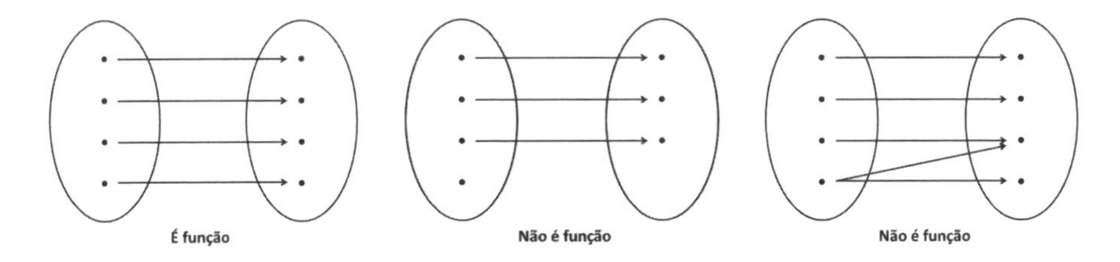

Figura 1.7 — Relação entre função e conjunto.

Algebricamente uma função é definida como $f\text{: } A \rightarrow B$, onde a letra "efe" (podendo-se usar outra letra) representa a relação existente entre (seta para à direita) os elementos dos conjuntos *A* e *B*. A partir da existência de uma relação entre dois conjuntos, tem-se a definição de uma regra de operação algebricamente representada por $y = f(x)$ que será representada computacionalmente como $f(x) = y$.

A partir das definições $f\text{: } A \rightarrow B$ e $y = f(x)$, tem-se como domínio o conjunto *A* e como contradomínio o conjunto *B*. A indicação *domínio* (conjunto *A*) refere-se ao conjunto que possui os valores independentes, os quais determinam a partir da regra algébrica $y = f(x)$ os valores do conjunto *contradomínio* (conjunto *B*) formados pelos valores dependentes.

Pode existir no conjunto contradomínio (CD) algum valor que não tenha relação com um valor do conjunto domínio (Dom), ou seja, não pertencente ao conjunto *imagem* (IM) definido a partir da função existente entre os conjuntos. Assim sendo, o conjunto imagem é por sua natureza um subconjunto do conjunto contradomínio possuindo os valores que correspondem diretamente aos valores do conjunto domínio, de acordo com a regra estabelecida pela função. A Figura 1.8 mostra as relações entre conjuntos: domínio, contradomínio e imagem.

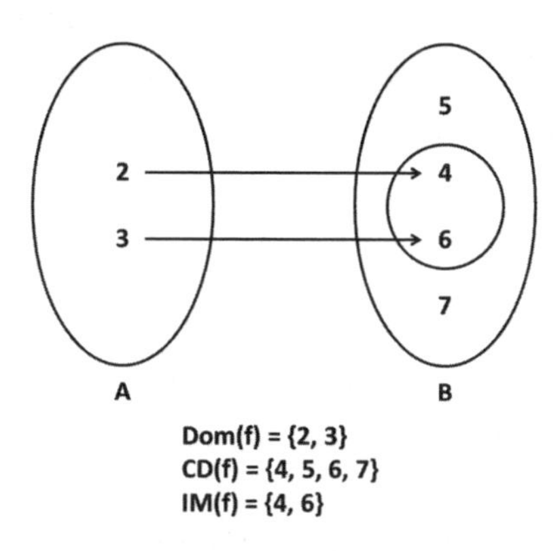

Figura 1.8 — Conjuntos domínio, contradomínio e imagem da função f(x) = x2.

Uma função para ser considerada pura deve retornar o mesmo valor a partir do fornecimento do mesmo argumento de entrada sem que ocorra algum efeito colateral.

Uma função pura caracteriza-se como:

```
sucessor (x) << x + 1
```

Uma função impura caracteriza-se como:

```
sucessor (data) << dia
```

A segunda versão da função `sucessor(data)` não é pura pelo fato do argumento *DATA* ser um valor que se altera diariamente, pois o uso do argumento *DATA* pode ou não retornar o mesmo valor do dia.

Uma função com uso de data que seja pura pode ser a que retorne o último dia do mês de uma data definida.

```
dias (ano, mês) << último_dia_do_mês (ano, mês)
```

Assim sendo, não importando o valor do ano e do mês informados sempre ocorrerá o retorno da mesma quantidade de dias para o mês em foco, levando-se em consideração que a função `último_dia_do_mês(ano, mês)` faz a verificação da existência ou não de anos bissextos.

Uma função pura não gera efeito colateral. Isso significa que ela não altera o valor de uma variável fora de seu contexto.

```
contagem = 0

conta (contagem) << contagem + 1
```

O exemplo anterior não é uma função pura, pois usa como argumento uma variável definida fora do escopo de abrangência da função (variável global, sendo, neste caso, uma variável de estado) que terá seu valor alterado a cada chamada da função `conta(contagem)`. Desta forma, a função `conta(contagem)` não garante o mesmo retorno a partir do argumento *`CONTAGEM`*, pois se acidentalmente o valor da variável *`CONTAGEM`* for alterado entre as chamadas da função `conta(contagem)` ocorrerá um retorno imprevisível de resultado, podendo gerar diversos problemas.

Uma função é pura quando atua sem a ocorrência de estado, ou seja, não executa iterações diretas de valores sobre uma variável local. Por exemplo, laços para serem processados executam mutação da variável de controle da operação. A função `dobro(n)` definida a seguir pode parecer pura, mas possui alteração de estado com a variável *`I`* que é iniciada com valor *`N`* e é alterada de `-1` em `-1` até estar com o valor `1`.

```
dobro (N) << para I de N até 1 passo -1 faça escreva I ^ 2
```

Uma forma de inibir alteração de estado de uma variável é fazendo uso de ações recursivas em vez de fazer uso de ações iterativas baseadas em laços. Observe a versão seguinte da função `dobro(n)` definida na forma pura com ação de recursividade (não se preocupe em entender recursividade neste momento).

```
dobro (N) << se (N = 0) então pare senão escreva dobro(N - 1) ^ 2
```

Para obter os quadrados de `10` a `1` basta fazer a chamada `dobro(10)`. A recursividade é a capacidade que uma função tem de chamar a si mesma certo número de vezes até que certa condição seja satisfeita.

Uma função pura para executar sua ação de processamento depende exclusivamente dos valores de entrada a ela aferidos. Não pode ser considerada pura a função `f(x)` a seguir, que faz uso de um valor *Y* vindo de algum lugar fora do escopo de ação da função.

```
f(x) << x + y
```

Neste caso, o valor *X* é passado pelo argumento da função `f(x)`, mas o valor *Y* pela forma indicada se refere a uma variável de estado externa (global), que dependendo de seu valor poderá gerar efeitos colaterais no resultado calculado pela função `f(x)`, uma vez que dependendo do estado da variável *Y* o valor calculado da função será diferente para um mesmo *X*.

Funções puras são operadas diretamente com o conceito de imutabilidade por não gerarem efeitos colaterais. Imutabilidade é a característica que uma variável possui de não alterar seu valor após a definição de um valor para sua ação.

1.8 ESTRUTURAS FUNCIONAIS

A principal estrutura de dados usada no paradigma funcional é sem sombra de dúvida a *função*, pois é a partir dessa estrutura que toda a "mágica" acontece. É comum linguagens de programação disponibilizarem um conjunto de funções que visam atender a diversas questões matemáticas, tais como obter os resultados de: resto de divisão; detecção de valor par ou valor ímpar; exponenciação; radiciação; valor sucessor; valor antecessor; piso; teto; exponencial; logaritmo; seno; cosseno; tangente, entre outras.

As funções são a base operacional de condução de programas escritos no paradigma funcional. É fundamental ao profissional de programação ter isso em mente e compreender plenamente as bases matemáticas mínimas, apontadas anteriormente, para este tipo de ação, além de saber diferenciar os tipos de funções que podem ser usadas (*internas* e *externas*) na programação funcional.

Além de se usar *funções internas* preexistentes é possível criar suas próprias funções que atendam a diversas necessidades particulares. É possível nessa esfera destacar a definição de *funções nomeadas* e *funções anônimas* (ou *funções lambda*).

A diferença entre *funções nomeadas* e *funções anônimas* é que as funções nomeadas são definidas de modo a estarem disponíveis na memória para serem usadas a qualquer instante, podendo, inclusive, serem essas funções armazenadas em bibliotecas (normalmente referenciadas como pacotes ou módulos) para uso posterior. Já uma função anônima (lambda) é definida exclusivamente para uso imediato, sendo aplicada apenas no contexto em que é definida e após seu uso é removida imediatamente e automaticamente da memória.

Funções lambda se baseiam no uso do *cálculo lambda* desenvolvido na década de 1930 por Alonzo Church para uso no estudo de funções que pudessem ser operacionalizadas a partir de dispositivos mecânicos computáveis, baseando-se em certo algoritmo. A definição de função lambda (anônima) segue o modelo matemático `λx.(x)`, onde a função anônima "`λ`" (símbolo lambda) com parâmetro representado pelo argumento "`x`" o qual "`.`" efetua a ação prevista na operação "`(x)`" tem desta ação seu resultado. O ponto "`.`" entre a indicação da função "`λx`" (identidade da função) e sua operação "`(x)`" tem por finalidade representar a separação do parâmetro de entrada e do resultado da operação como sua saída.

Considerando a definição anônima de uma função que apresente o resultado do valor sucessor de um argumento numérico qualquer estabelecido a partir da função `λx.(x + 1)`, veja em seguida um exemplo de sua codificação em *`português funcional`*.

```
|x >>> x + 1
```

Uma vez que a definição de uma *`função anônima`* não é armazenada em memória, esta deve ser usada imediatamente a sua definição em conjunto com alguma outra operação a ela agregada ou passando-lhe imediatamente um valor operacional sob pena de perdê-la. Desta forma, considere para a operação de apresentação de valor sucessor definir a seguinte sintaxe.

```
|x >>> x + 1 $ 9
```

Neste caso, após a definição da função anônima com o símbolo cachimbo (`|`) é indicado depois do símbolo cifrão (`$`) o valor de parâmetro `9` para o argumento "`x`" de "`|x`", e assim obter como resposta o retorno do valor `10`.

O paradigma funcional puro, normalmente, aceita a entrada de dados por meio de argumentos passados como parâmetros de funções e fornece a saída como resultado da ação da própria função. As ações de processamento matemático e/ou lógico ocorrem dentro do corpo (bloco) da função. Esse paradigma aceita a definição de tomadas de decisão implícitas (correspondência de padrões) e explícitas que serão apresentados oportunamente. A execução de cálculos cumulativos é definida com o uso de ações de recursividade a partir de funções recursivas.

Uma *`função recursiva`* é uma estrutura operacional que tem por finalidade chamar a si mesma, certo número de vezes, até que determinada condição seja satisfeita para que a ação recursiva seja interrompida.

1.9 FERRAMENTAL DIDÁTICO

Os paradigmas de programação imperativo e declarativo possuem diferenças estruturais bem distintas. O resultado da ação de um programa escrito sob qualquer paradigma tende a ser basicamente o mesmo guardando obviamente as características operacionais de cada paradigma que influenciam o produto final: o software. Desta forma, a concepção de escrita de um programa nos paradigmas imperativo e declarativo é diferente.

O paradigma declarativo funcional, do ponto de vista operacional, é mais simples para escrever programas do que o paradigma imperativo, pois exige uma quantidade de comandos muitíssimo menor. No entanto, exige maior grau de conhecimento matemático e raciocínio abstrato para seu uso. Neste sentido, inicialmente aprender a usar o paradigma imperativo pode ser mais simples que aprender a usar o paradigma declarativo.

O estudo de lógica de programação focado ao paradigma imperativo pode ser realizado confortavelmente distante do computador, pois possui como aliado a possibilidade de representar o raciocínio lógico por meio de diagramas de blocos normatizados segundo a norma internacional ISO 5807:1985. Essa norma foi desenvolvida para auxiliar a documentação do projeto lógico com o objetivo de auxiliar o desenvolvimento do projeto físico. A entidade internacional ISO (*International Organization for Standardization*) é um órgão que define padrões industriais para o desenvolvimento de produtos e serviços que estejam de acordo com as regras de qualidade e aceitação. Assim, aprender a programar de forma imperativa é relativamente fácil, pois ao aprender a representar o raciocínio lógico na forma gráfica ISO 5807:1985, fazer sua tradução para uma linguagem de programação formal é muito tranquilo.

Em contrapartida, o estudo da lógica de programação envolvida no uso do paradigma declarativo funcional não possui um regimento de representação gráfica devido ao seu dinamismo e característica matemática, podendo isso ser inicialmente uma desvantagem no tocante à documentação de código ou até mesmo na forma do código escrito, apesar de estar fundamentado a partir do uso de *notação matemática*. Isto não significa que aprender a usar lógica funcional seja difícil, mas é diferente. Talvez para uma pessoa que nunca programou, tanto importará o paradigma usado, pois para ela tudo é novidade, o problema pode ocorrer com pessoas que conhecem programação imperativa, uma vez que deverão mudar a forma como pensam uma solução computacional.

Algumas linguagens funcionais apresentam maneiras mais simples de escrever um código que outras. Nesse sentido, para o estudo mais genérico proposto, nesta obra está sendo adotada a escrita de cada algoritmo indicado no formato informal *português funcional* e sua representação operacional equivalente codificados de forma ilustrada nas linguagens formais *Hope* (linguagem experimental e acadêmica de 1978) e *Haskell* (linguagem funcional consagrada de 1990).

A escolha das linguagens *Hope* e *Haskell* se deu pelo fato de serem ferramentas acessíveis permitindo usá-las como um bom instrumento de reforço conceitual do código apresentado em *português funcional*. Não é objetivo deste livro "ensinar" as linguagens indicadas, bem como suas particularidades ou potencialidades.

Você encontrará nos apêndices A e B algumas informações adicionais sobre *Hope* e *Haskell*. A intenção no uso dessas linguagens é tão somente para representar os algoritmos indicados de forma que possam ser testados em um computador e reforçar o que é apresentado na obra. Usar as linguagens *português funcional*, *Hope* e *Haskell* permite reforçar a base lógica mental que o/a estudante deve possuir para o desenvolvimento de programas no contexto da programação funcional.

Outro detalhe a ser considerado é que nenhum recurso de uma linguagem é aplicado se ambas as linguagens não permitirem que a ação seja escrita em ambas as ferramentas de maneira similar. Na ocorrência de uma ação particular a certa linguagem que não possa ser usada ou configurada na outra linguagem, será descartada. A solução será sempre produzir funções que possam ser comumente executadas em ambas as linguagens de maneira similar.

A partir dessa estratégia, tem-se a oportunidade de usar as ferramentas aqui indicadas para auxiliar o reforço mental necessário ao desenvolvimento da lógica de programação funcional. Os exemplos apresentados serão escritos em ambas as ferramentas, dando-se preferência sempre em escrever a funcionalidade para se obter certo resultado do que simplesmente usá-la a partir da linguagem como se fosse um recurso `caixa preta`. A maior parte das funcionalidades apresentadas neste livro são, normalmente, encontradas prontas em algumas linguagens de programação com suporte ao paradigma declarativo funcional.

O objetivo deste livro não é o estudo ou a aplicação das linguagens formais em si, é o estudo da lógica envolvida na produção de soluções funcionais. Nesse sentido, as soluções operacionais serão produzidas a partir de comandos básicos e mínimos de cada linguagem, utilizando-se genericamente sua expressão em código `português funcional`. Assim, são indicados na Tabela 1.1 os comandos e operadores apresentados neste livro. Nenhum outro comando das linguagens *Hope* ou *Haskell* é indicado ou usado.

Tabela 1.1 — Comandos e operadores operacionais usados na obra.

PORTUGUÊS FUNCIONAL	HOPE	HASKELL
const	definição indireta	definição indireta
var	dec	definição indireta
se	if	if
então	then	then
senão	else	else
número	num	a[1]
lógico	truval	Bool
lista número	list num	[a]
nada	nil	[]
-o-	-o-	round

[1] O tipo "a" que pode ser mencionado como "b", "c", "d" etc., poderá ser substituído em *Haskell*, dependendo da situação operacional, por Int, Double, RealFrac, Fractional Integral ou Floating, além de, em algumas vezes, ocorrer o uso do recurso fromIntegral.

PORTUGUÊS FUNCIONAL	HOPE	HASKELL
-o-	-o-	Ord
-o-	-o-	Eq
escreva	error	error
.verdadeiro.	true	True
.falso.	false	False
#	<>	++
>>	->	->
<<	<=	=
^	pow	pow
/	/	/
mod	mod	mod
div	div	div
+	+	+
-	-	-
*	*	*
.e.	and	&&
.or.	Or	||
.não.	not	not
>	>	>
<	<	<
>=	>=	>=
<=	=<	<=
=	=	==
<>	/=	/=
|x	\x	definição indireta

Atualmente diversas linguagens imperativas, como C++, C#, Java, Javascript, entre outras, vêm dando suporte à programação funcional que está muito em voga. No entanto, cada uma dessas linguagens trata desse assunto a sua maneira. Este livro foca o tema a partir de uma visão puramente funcional e não relaciona seu conteúdo a essas linguagens, mas com certeza criará nas mentes daqueles que leem essas páginas uma base conceitual que permitirá adaptar este conhecimento a outras linguagens de programação sem grandes dificuldades.

As soluções dos problemas funcionais apresentados neste livro não significam em absoluto serem as melhores ou as únicas soluções, são respostas possíveis dentro do escopo abordado na obra, sendo produzidas meramente com objetivos didáticos para introdução à lógica de programação funcional. As respostas apresentadas são de cunho genérico e podem ser facilmente executadas nas linguagens indicadas. Soluções que podem ser executadas em uma linguagem e em outra não são abolidas para manter em foco os objetivos deste livro.

Por ser um estudo baseado no formato de linguagem *português funcional* todos os comandos e nomes de funções são expressos em português. No entanto, os termos similares em inglês não são deixados de lado, quando necessários estes estarão expressos entre parênteses ao lado do termo associado ao idioma português.

PRINCÍPIOS OPERACIONAIS BÁSICOS

Este capítulo apresenta informações sobre os tipos de dados primitivos comuns encontrados em linguagens funcionais. Descreve operadores aritméticos disponíveis para a execução de processamento matemático, além dos operadores relacionais e lógicos para a execução de processamento lógico. O capítulo apresenta detalhes sobre a definição de variáveis/constantes. Aborda o uso inicial das expressões matemáticas e lógicas, além de demonstrar o desenvolvimento de funções externas e as operações iniciais com correspondência de padrões.

2.1 TIPOS DE DADOS BÁSICOS

Neste tópico, são indicados os tipos de dados básicos ou primitivos comumente aceitos em linguagens funcionais. São aqui descritos os tipos *número*, *lógico*, *cadeia/caractere* e *lista* (considerando *tupla*), e como os valores associados a cada um desses tipos podem ser operacionalizados.

O tipo *número* é representado pelo conjunto de números compostos por valores numéricos de ponto flutuante e inteiros positivos e negativos voltados à execução de operações matemáticas operacionalizadas a partir de *funções aritméticas*. Funções aritméticas são usadas na realização de *equações*. É importante considerar que computadores representam uma faixa de valores numéricos limitada. Assim sendo, cada linguagem de programação funcional poderá operar com faixas de valores diferenciadas.

O tipo *lógico* é representado pelos valores *.falso.* e *.verdadeiro.* voltados à execução de operações de processamento lógico operacionalizados a partir de *funções lógicas*. Uma função que retorna resultado lógico é chamada de *predicado*. Funções lógicas são usadas na realização de *inequações*.

O tipo *lista* é representado pela composição de conjuntos de valores numéricos, lógicos ou alfanuméricos separados por vírgula e delimitados entre parênteses. As listas são divididas em quatro segmentos operacionais: a cabeça (*head*), o arranjo (*init*), a cauda (*tail*) e o último (*last*). A cabeça é formada pelo primeiro elemento definido no extremo esquerdo da lista; o arranjo é formado por todos os elementos, excetuando-se o último elemento; a cauda é formada por todos os elementos, excetuando-se o primeiro elemento e o último elemento é a indicação do elemento existente no extremo direito da lista, excetuando-se o arranjo da lista. Além do tipo *lista*, as linguagens de programação funcionais podem apresentar um tipo adicional de dado chamado *tupla* que possui como diferença o fato de ser um conjunto imutável, ou seja, uma vez definido não pode ser alterado, diferentemente de uma lista. A maioria dos exemplos usados neste livro usam listas para a representação de dados, mas poderá em algum momento ser usado o tipo de dado tupla que se caracteriza por ser um conjunto de dados delimitado entre parênteses diferentemente das listas delimitadas entre colchetes.

O tipo *caractere* é representado por símbolos alfanuméricos identificados a partir da tabela ASCII e imprimíveis computacionalmente, sendo estes delimitados entre aspas inglesas. O conjunto de caracteres forma o que se chama `cadeia`. O conceito de cadeia em linguagens funcionais pode ser representado como sendo um conjunto de caracteres.

2.2 VARIÁVEIS E CONSTANTES

O uso de variáveis e constantes está diretamente relacionado, na programação funcional, à definição de fórmulas ou equações matemáticas. Uma fórmula/equação, de modo geral, é um modo de expressar uma relação entre quantidades no sentido de obter informações que sejam concisas. Do ponto de vista matemático uma fórmula/equação é a definição de um modelo baseado em símbolos e regras a partir de certa linguagem lógica.

As variáveis, substitutas naturais das incógnitas existentes nas fórmulas/equações matemáticas, podem em uma linguagem funcional ser as portas de entrada para a definição de argumentos em uma função ou serem elementos que recebem a asserção de certo valor. Do ponto de vista da programação funcional uma variável é uma entidade de armazenamento que deve operar estritamente com a definição de valores imutáveis após suas definições. Assim sendo, após uma variável ser definida com certo valor, este não poderá mais ser alterado até a finalização do processamento do programa em execução, devido a essa característica operacional é comum ver-se na programação funcional o uso do termo `variável imutável`.

As constantes se caracterizam pelo estabelecimento de valores imutáveis que equilibram a definição de certa fórmula/equação matemática. Constantes podem ser definidas de forma direta (explícita) ou indireta (implícita). Constantes diretas são definidas a partir de seus respectivos valores e indicadas por seus numerais correspondentes. As constantes indiretas são representadas pelo uso de rótulos de identificação como, por exemplo, o valor de π (pi).

Na programação funcional o conceito de imutabilidade é levado muito a sério. As constantes, por sua natureza operacional, são representantes naturais de valores imutáveis e as variáveis, como comentado, quando definidas poderão aceitar qualquer valor em tempo de execução de um programa, mas, após a asserção do valor, a variável não permitirá que o valor a ela atribuído seja modificado, pois qualquer valor após sua definição torna-se imutável, garantindo proximidade operacional com a execução manual do cálculo de uma equação matemática qualquer.

2.3 OPERADORES

A partir da existência de dados que podem ser qualificados segundo seus tipos, principalmente dados numéricos operacionalizados como conjunto na forma de listas, é possível realizar operações de cálculos matemáticos e lógicos com o uso de operadores específicos para tais ações. Um operador é uma ferramenta que permite estabelecer uma ação operacional a certos dados.

2.3.1 ARITMÉTICOS

Os *operadores aritméticos* são os recursos responsáveis pela execução do processamento matemático em um computador a partir da realização de cálculos com dados numéricos definidos com variáveis e constantes.

As operações matemáticas podem ser classificadas como: `unários` ou `binários`. São binários quando atuam em operações de *exponenciação*, *radiciação*, *multiplicação*, *divisão*, *adição* e *subtração*, em que são utilizados dois operandos. São unários quando atuam na inversão de um valor numérico, atribuindo a ele o sinal *positivo* (valor numérico sem sinalização) ou *negativo* (valor numérico sinalizado).

A Tabela 2.1 apresenta os operadores aritméticos para o estabelecimento de operações matemáticas convencionais com o paradigma funcional, excetuando-se o operador de concatenação usado para a composição de listas a partir de partes separadas.

Tabela 2.1 — Operadores aritméticos.

OPERADOR	OPERAÇÃO	AÇÃO	TIPO	RESULTADO
a ^ (1/2)	Radiciação	Raiz quadrada de "a"	Unário	Inteiro ou real
a ^ (1/3)	Radiciação	Raiz cúbica de "a"	Unário	Inteiro ou real
a ^ (1/n)	Radiciação	Raiz de índice qualquer de "a"	Unário	Inteiro ou real
a ^ (x/n)	Radiciação	Raiz de índice qualquer de "a^x"	Unário	Inteiro ou real
a ^ b	Exponenciação	Potência de "a" elevado "b"	Binário	Inteiro ou real
a * b	Multiplicação	Produto de "a" por "b"	Binário	Inteiro ou real
a / b	Divisão	Quociente de "a" dividido por "b"	Binário	Real
a div b	Divisão	Quociente de "a" dividido por "b"	Binário	Inteiro
a mod b	Divisão	Resto de "a" dividido por "b"	Binário	Inteiro
a + b	Adição	Soma de "a" com "b"	Binário	Inteiro ou real
a - b	Subtração	Diferença de "b" sobre "a"	Binário	Inteiro ou real
+a	Manutenção de sinal	Valor "a" positivo	Unário	Inteiro ou real
-a	Inversão de sinal	Valor "a" negativo	Unário	Inteiro ou real
<<	Asserção	Variável definida com o valor	Binário	Inteiro ou real
>>	Retorno	Retorno de resultado de função	Binário	Inteiro, real, lista
#	Concatenação	Junção de partes	Binário	Lista

A tabela de operadores aritméticos apresenta os operadores segundo a ordem de prioridade matemática em que as operações são normalmente realizadas em linguagens funcionais. Caso necessite alterar o nível de prioridade nos cálculos, use parênteses. No contexto computacional as operações matemáticas não utilizam chaves ou colchetes como usados na área matemática.

2.3.2 RELACIONAIS

Os *operadores relacionais* são um dos recursos responsáveis pela execução do processamento lógico em um computador a partir da definição de condições (*expressões relacionais*) para a tomada de decisões. Uma condição é a relação lógica estabelecida entre dois e somente dois elementos passíveis de avaliação, podendo-se avaliar as relações estabelecidas entre variáveis e variáveis ou entre variáveis e constantes com a finalidade de comparar valores.

A Tabela 2.2 apresenta os operadores relacionais para o estabelecimento de operações lógicas com o paradigma funcional.

Tabela 2.2 — Operadores relacionais.

OPERADOR	OPERAÇÃO
>	maior que
<	menor que
>=	maior ou igual que
<=	menor ou igual que
=	igual a
<>	diferente de

A partir do exposto é possível considerar relações válidas comuns entre variáveis e variáveis ou variáveis e constantes. Assim sendo, considere as seguintes relações:

```
A = B
A <> B
A > B
A < B
A >= B
A <= B
```

```
A = 5
A <> 5
A > 5
A < 5
A >= 5
A <= 5
```

Para cada uma das expressões relacionais indicadas poderá ocorrer a apresentação de um dos valores lógicos: *.falso.* ou *.verdadeiro.*. A partir da obtenção de um valor lógico, torna-se possível efetuar operações computacionais com tomada de decisões.

2.3.3 LÓGICOS

Os *operadores lógicos* são recursos complementares à execução do processamento lógico em um computador, tendo como característica operacional associar mais de uma condição ou mesmo negar uma condição definida na forma de *expressões lógicas*. Os operadores lógicos operam seus resultados a partir de valores *booleanos*.

A Tabela 2.3 mostra os operadores lógicos básicos. A ordem de apresentação indica a prioridade a ser considerada no uso desses operadores.

Tabela 2.3 — Precedência de uso dos operadores lógicos.

OPERADOR	OPERAÇÃO
.não.	Negação rigorosa
.e.	Conjunção rigorosa
.ou.	Disjunção inclusiva rigorosa

Os operadores lógicos de conjunção (`.e.`) e disjunção (`.ou.`) permitem que sejam usadas em conjunto mais de uma condição para a tomada de certa decisão. Já o operador lógico de negação (`.não.`) tem por finalidade fazer a negação do estado lógico de certa condição.

O operador lógico de conjunção é usado quando dois ou mais relacionamentos lógicos necessitam ser verificados. A Tabela 2.4 mostra quando o resultado lógico é verdadeiro.

Tabela 2.4 — Tabela verdade para o operador lógico de conjunção.

CONDIÇÃO 1	CONDIÇÃO 2	RESULTADO
Falsa	Falsa	Falso
Verdadeira	Falsa	Falso
Falsa	Verdadeira	Falso
Verdadeira	Verdadeira	Verdadeiro

O operador lógico de conjunção tem resultado lógico verdadeiro quando todas as condições associadas forem verdadeiras.

O operador lógico de disjunção é usado quando dois ou mais relacionamentos lógicos necessitam ser verificados. A Tabela 2.5 mostra quando o resultado lógico é verdadeiro.

Tabela 2.5 — Tabela verdade para o operador lógico de disjunção.

CONDIÇÃO 1	CONDIÇÃO 2	RESULTADO
Falsa	Falsa	Falso
Verdadeira	Falsa	Verdadeiro
Falsa	Verdadeira	Verdadeiro
Verdadeira	Verdadeira	Verdadeiro

O operador lógico de disjunção tem resultado lógico verdadeiro quando pelo menos uma das condições associadas for verdadeira.

O operador lógico de negação é usado quando é necessário estabelecer a inversão do resultado de uma condição. A Tabela 2.6 mostra quando o resultado lógico é verdadeiro.

Tabela 2.6 — Tabela verdade para o operador lógico de negação.

CONDIÇÃO	RESULTADO
Verdadeira	Falso
Falso	Verdadeira

O operador lógico de negação tem resultado lógico verdadeiro quando a condição avaliada for falsa.

2.4 EXPRESSÕES MATEMÁTICAS E LÓGICAS

É comum ter a necessidade de se trabalhar com operações aritméticas ou algébricas na forma de expressões matemáticas, uma vez que, em sua maioria, o trabalho computacional está relacionado a cálculos matemáticos. Essas expressões são definidas pelo relacionamento existente entre variáveis (incógnitas na ciência matemática), constantes numéricas (diretas ou indiretas) em conjunto dos operadores aritméticos.

As expressões aritméticas para serem executadas em um computador devem ter seu formato semântico escritos de forma diferente do estilo utilizado na ciência matemática: a expressão de cálculo:

```
X = { 43 . [ 55 : ( 30 + 2 ) ] }
```

Será escrita como:

```
X = ( 43 * ( 55 / ( 30 + 2 ) ) )
```

Note que os símbolos de chaves e colchetes são substituídos pelos símbolos de parênteses. Chaves e colchetes não possuem nenhum valor para a efetivação de operações matemáticas em computadores.

Considere para o cálculo matemático da área de uma circunferência a fórmula (área é igual ao valor do pi multiplicado pelo raio ao quadrado):

```
A = Πr2
```

Computacionalmente, a fórmula escrita como expressão aritmética corresponde a:

```
A = pi * r ^ 2
```

Considere para o cálculo matemático, o cálculo da média de dois valores a partir da fórmula:

```
     a + b
x = -------
      2
```

Computacionalmente, a fórmula escrita como expressão aritmética corresponde a:

```
x = (a + b) / 2
```

Observe que para o cálculo da média é necessário primeiro somar os dois valores. Devido a essa necessidade, o cálculo deve ser colocado entre parênteses para em seguida efetuar a divisão por *2* e assim obter o resultado desejado e correto.

A mudança de prioridade em cálculos matemáticos é realizada com o uso de definições de parênteses. Observe os dois próximos exemplos:

```
x = 3 + 2 * 5
y = (3 + 2) * 5
```

O resultado do cálculo matemático para a variável `X` é 13 e para a variável `Y` é 25. Observe que o uso de parênteses proporciona a mudança do nível de prioridade para a realização da operação.

Assim como as expressões aritméticas, as expressões lógicas são definidas a partir do uso de variáveis e constantes definidas em conjunto com o uso de operadores relacionais e lógicos. Os resultados de uma expressão lógica são os valores verdadeiro ou falso obtidos a partir da definição de uma sentença declarativa: proposição simples ou composta.

Uma proposição é simples quando é definida uma única condição para a tomada de certa decisão delimitada a partir da relação entre variáveis e constantes por meio do uso de operadores relacionais, e uma proposição composta ocorre com o uso dos operadores lógicos de conjunção ou disjunção.

Os operadores lógicos de conjunção e disjunção permitem a definição de novas proposições a partir de outras proposições simples ou mesmo compostas. Muitas vezes, torna-se necessário fazer uso de parênteses para determinar como a expressão lógica resultante deve ser avaliada.

Considere para o cálculo lógico a seguinte expressão:

```
7 > 8 .e. 5 < 4 .ou. 2 < 3
```

O resultado do cálculo lógico da expressão é *`verdadeiro`*, pois o operador de conjunção (*`.e.`*) tem maior prioridade que o operador de disjunção (*`.ou.`*) e tem sua avaliação processada primeiro. Caso deseje realizar primeiro o cálculo lógico do operador de disjunção escreva a expressão como:

```
7 > 8 .e. (5 < 4 .ou. 2 < 3)
```

Neste caso, o resultado apresentado será *`falso`* uma vez que o trecho de avaliação de uso do operador de disjunção é definido entre parênteses, colocando-o a frente do operador de conjunção.

As formas de expressões lógicas anteriores podem não ser processadas por certa linguagem de programação. Há linguagem de programação que exige que as expressões lógicas sejam acondicionadas entre parênteses. Desta forma, as duas expressões anteriores deverão ser escritas como:

```
(7 > 8) .e. (5 < 4) .ou. (2 < 3)
(7 > 8) .e. ((5 < 4) .ou. (2 < 3))
```

A inversão do resultado lógico de certa condição é realizada com o uso do operador lógico de negação (*.não.*). Para seu uso é importante considerar a condição a sua frente definida entre parênteses, como a seguir:

```
.não. (7 > 8)
```

Nesse caso, o resultado apresentado será *verdadeiro*.

Se for necessário negar uma proposição composta, o conjunto de condições deve ser delimitado entre parênteses. Observe as duas formas que podem ocorrer nessa ação:

```
.não. (5 < 4 .ou. 2 < 3)
.não. ((5 < 4) .ou. (2 < 3))
```

É importante atentar para o fato de que apesar dos computadores serem máquinas com ênfase matemática, estes não respeitam a mesma nomenclatura semântica da ciência matemática, utilizando-se de outras formas de representação para proceder aos mesmos efeitos. É importante que programadores estejam atentos a esses detalhes.

2.5 FUNÇÕES E CONSTANTES DEFINIDAS

A partir da apresentação dos elementos essenciais de operação para uma linguagem de programação como: *variáveis*, *constantes*, *operadores aritméticos*, *operadores relacionais*, *operadores* `lógicos`, `expressões matemáticas` e `lógicas` é possível avançar a outros conceitos.

Como já deve ter sido percebido, a partir da leitura do capítulo anterior, a programação funcional tem por característica simular em um computador a mesma aplicação que as funções matemáticas possuem na realidade prática.

Linguagens funcionais lançam mão de ações relacionadas à imutabilidade e recursividade para processarem suas ações, no sentido de atenderem mais especificamente as exigências naturais matemáticas no uso de funções, e assim poderem processar os cálculos necessários a certa aplicação.

Sendo, então, a função o componente essencial da programação funcional, ou seja, função é um mapeamento estabelecido entre dois conjuntos, onde cada elemento do conjunto domínio corresponde a um e somente um elemento do conjunto contradomínio como apontam Araújo & Acióly (2008, p. 14).

A título de documentação da estrutura de uma função em `português funcional` considere o modelo de código seguinte. A indicação dos números à esquerda com dois pontos das instruções de cada expressão são meros marcos de referência e não devem ser considerados como parte da operação.

```
1: <nome_função> (<argumentos>) >> <tipo_de_dado>
2: <nome_função> (<argumentos>) << <operação>
```

Onde `<nome_função>` na linha `1` é a definição de um identificador para a função que dará o retorno de saída de um valor "`>>`" como `<tipo_de_dado>`. A indicação `(<argumentos>)` é a definição de certo argumento a ser usado como entrada na execução de certa `<operação>` indicada na linha `2`, no sentido de se obter alguma resposta como retorno da função executada.

A linha `1` é usada para definir a assinatura da função, ou seja, sua estrutura operacional que será referenciada neste livro como protótipo da função, e a linha 2 que indica o corpo de operação da função, onde a lógica de operação estará definida.

A linha 2 tem sua expressão dividida em duas partes com o símbolo de asserção “<<”. A parte da esquerda do símbolo de asserção é chamada de *correspondência de padrões* e estabelece o protocolo de como a função deve ser operacionalizada na memória e a parte à direita estabelece a *ação de execução* da função.

Como exemplo, considere a definição de uma função chamada `soma(valor1, valor2)` que recebe como argumentos os parâmetros `valor1` e `valor2`, e o resultado da soma dos valores está fornecido codificado em *português funcional*.

```
1: soma (número, número) >> número

2: soma (valor1, valor2) << valor1 + valor2
```

A linha 1 estabelece o protótipo da função indicando que a operação de soma receberá para sua ação dois argumentos numéricos como passagem de parâmetro delimitados entre os símbolos de parênteses. O argumento indicado após o símbolo de extração “>>” determina o retorno da operação calculada pela função como um dado numérico.

A linha 2 tem definido ao lado esquerdo do símbolo de asserção “<<” a estrutura operacional da função por meio da *correspondência de padrões* `soma(valor1, valor2)`. A correspondência de padrões é um mecanismo que permite especificar as variáveis a serem usadas e como essas serão trabalhadas pela função. Os padrões são usados para auxiliar testes de valor inicial (como será visto mais adiante nesta obra) e definem a forma como esses valores serão usados pela função. Ao lado direito da asserção é definido a ação de execução que faz uso dos elementos formatados na correspondência de padrões.

A partir da definição da função `soma(valor1, valor2)` com os valores 7 e 3 ocorrerá a seguinte execução.

```
soma(7, 3)      | soma (número, número) >> número

soma(7, 3) = 10 | soma (valor1, valor2) << valor1 + valor2
```

Com base na definição da função `soma(valor1, valor2)` considere para seu uso a ação operacional a partir da chamada `soma(7, 3)`:

```
?| soma(7, 3)
>| 10
?| _
```

As indicações dos *prompts* "?|" e ">|" se referem ao uso hipotético de um ambiente funcional de programação para representar as ações operacionalizadas a partir da função ou das funções estabelecidas. O caractere "_" apresentado após o resultado se refere à indicação do cursor do ambiente para a definição de uma próxima ação.

A título de ilustração operacional considere a definição da função `soma(valor1, valor2)` em Hope.

```
dec soma : num # num -> num;
--- soma (valor1, valor2) <= valor1 + valor2;
```

A linguagem Hope trata valores numéricos de maneira polimórfica segundo o tipo de dado `num` que abrange valores pertencentes aos conjuntos dos números inteiros e reais.

A execução da função `soma(valor1, valor2)` na linguagem Hope pode ser definida a partir da instrução "`soma(7, 3);`".

A título de ilustração operacional considere a definição da função `soma valor1 valor2` em Haskell.

```
:{
soma :: (Num a) => a -> a -> a
soma valor1 valor2 = valor1 + valor2
:}
```

A execução da função `soma valor1 valor` na linguagem Haskell pode ser definida a partir da instrução "`soma 7 3`".

Para conseguir efeito semelhante ao da linguagem Hope, a linguagem Haskell usa o tipo de dado polimórfico `Num a` (que pode ser indicado por outros rótulos `Num b`, `Num c` etc.) para definir valores inteiros ou reais. Em alguns casos, mais específicos, pode ser usado o tipo de dados `Int` (para valores inteiros) ou `Double` (para valores reais). Quando se usa o tipo de classe `Num` pode ocorrer a necessidade de usar conjuntamente outros tipos de classes que auxiliem sua operação, como: a classe igualdade `Eq`, quando há condições relacionadas à igualdade (==) e diferença (/=), a classe de ordenação `Ord`, quando há condições relacionadas à ordem (>, <, >= e <=) e eventualmente o uso dos tipos de classe `Integral` ou `Floating`, respectivamente, para tratar valores numéricos específicos inteiros ou reais.

A partir da definição de uma função, esta poderá ser normalmente utilizada, a qualquer momento, até que a instância do ambiente de programação formal em uso seja encerrada. Caso isso ocorra, torna-se necessário reescrever a função na memória ou então mantê-la em um arquivo para seu posterior carregamento em memória após a abertura do ambiente de programação. Assim sendo, observe a seguir as orientações para definir em um arquivo de código a função `soma(valor1, valor2)` de modo que ela possa ser utilizada futuramente caso os ambientes das linguagens Hope ou Haskell sejam encerrados.

Abra um editor de texto simples como, por exemplo, o programa *Bloco de notas* do sistema operacional `Windows` ou o programa *Easy editor* do sistema operacional `FreeBSD`, que são os sistemas operacionais que dão suporte a execução da linguagem Hope e suportam também a linguagem Haskell (como outros sistemas operacionais também a suportam).

Escreva os códigos a seguir de modo que se possa definir o que se tornará sua biblioteca básica de recursos, aliás considere, à medida que os recursos deste livro forem apresentados, ampliar a biblioteca aqui proposta. O arquivo em questão será chamado de `base`, tendo a extensão "`.hop`" para a linguagem Hope e a extensão "`.hs`" para a linguagem Haskell.

No ambiente de programação Haskell é necessário em sua linha de comando executar a chamada da instrução `:cd dir`, na qual `dir` é a indicação do local onde o arquivo a ser carregado se encontra. Em seguida execute o comando `:l base.hs` para colocar o arquivo em uso. O comando `:cd` efetua ação de *change directory* e `:l` efetua a ação de *load*.

Veja a seguir o código para a linguagem Hope a ser gravado com o nome `base.hop` no mesmo local onde o programa executável da linguagem Hope se encontra definido em seu computador.

```
dec soma : num # num -> num;

--- soma (valor1, valor2) <= valor1 + valor2;
```

No ambiente de programação Hope é necessário em sua linha de comando executar a chamada da instrução `uses base`. O comando uses tem por finalidade carregar para a memória um arquivo de código externo da linguagem.

Além da definição de função é possível fazer a definição de constantes implícitas de forma customizada. As linguagens de programação existentes oferecem um conjunto de funções e constantes internas para serem usadas, mas essa consideração não será aqui tratada, uma vez que o objetivo é fazer o estudo da lógica de programação funcional e não de uma linguagem em específico. Por essa razão, constantes devem ser definidas mentalmente. Dessa forma, atente para as definições das duas constantes matemáticas: uma para o valor de `pi` e outra para o valor de exponencial `e`.

```
?| const x_pi = 3.14159

?| _
```

```
?| const x_e  = 2.71828

?| _
```

Com base na definição das constantes `x_pi` e `x_e` considere para seu uso a ação operacional:

```
?| x_pi
>| 3.14159
?| _

?| x_e
>| 2.71828
?| _
```

Observe, em seguida, a definição das constantes propostas `x_pi` e `x_e` da linguagem Hope.

```
dec x_pi : num;
--- x_pi <= 3.14159;

dec x_e : num;
--- x_e <= 2.71828;
```

Veja, em seguida, a definição das constantes propostas `x_pi` e `x_e` da linguagem Haskell.

```
:{
x_pi :: (Floating a) => a
x_pi = 3.14159

x_e :: (Floating a) => a
x_e = 2.71828
:}
```

Acrescente os códigos das constantes aos arquivos base propostos anteriormente. Coloque a definição das constantes antes da função `soma`.

No paradigma declarativo funcional, um programa pode ser representado pela definição de uma ou mais funções, podendo inclusive ser considerado a partir da composição de funções. A composição de funções ocorre quando uma função faz uso de outra função para realizar sua ação.

Como exemplo de *função composta* (função de função) considere a definição de duas funções. A primeira função retorna o valor da soma de dois argumentos: função `f`; e a segunda função efetua o quadrado de um argumento definido: função `g`, de forma que seja apresentado o resultado do quadrado inteiro da soma de dois valores inteiros indicados a partir da composição da função `quadrado(x)`. *Função g* com a função `soma2(x, y)`, *função f*. Assim sendo, será executada a função `h(x, y) = g(f(x, y))` que pode ser indicada como `gof(x, y)`. O formato `gof(x, y)` pode ser lido como "*g bola f de x e y*". Assim sendo, considere o código escrito em *português funcional* para a definição da função `quadsoma(x, y)`.

```
1: quadrado (número) >> número
2: quadrado (x) << x ^ 2
3: soma2 (número, número) >> número
4: soma2 (x, y) << x + y
5: quadsoma (número, número) >> número
6: quadsoma (x, y) << quadrado (soma2 (x, y))
```

As linhas 1, 3 e 5 especificam os protótipos das funções e seus modelos de operação e as linhas 2, 4 e 6 possuem a definição de cada uma das operações a serem realizadas. Observe atentamente cada um dos detalhes apresentados observando segundo o que já foi exposto.

A partir da definição da função `quadsoma(x, y)` com os valores 2 e 3 ocorrerá a seguinte execução:

```
quadsoma(2, 3)                              | quadsoma (número, número) >> número
quadsoma(2, 3) = quadrado (soma2 (2, 3)) |
```

```
quadsoma(2, 3) = quadrado (5)        |
quadsoma(2, 3) = 25                  | quadsoma (x, y) << quadrado (soma2 (x, y))
```

Com base na definição das funções anteriores considere o uso da função `quadsoma(x, y)` a partir da chamada `quadsoma(2, 3)`:

```
?| quadsoma(2, 3)
>| 25
?| _
```

Atente-se para o fato de que em uma *função composta* as operações realizadas entre as funções não são cumulativas, cada uma das funções opera segundo sua instância dentro de seu escopo de ação passando seu resultado a função que a compõe. Veja que a função `soma2(x, y)` retorna seu valor à função `quadrado(x)`, que por sua vez retorna seu valor a função `quadsoma(x, y)`.

Partindo do pressuposto que a linguagem *português funcional* possui, neste exato momento, as definições das constantes `x_pi` e `x_e`, além da definição das funções `soma(x, y)`, `soma2(x, y)`, `quadrado(x)` e `quadsoma(x, y)` serão acrescidas na linguagem mais duas funcionalidades, sendo as funções `lognat(x)` e `logbas(x, b)`.

A função `lognat(x)` representa o cálculo do logaritmo natural definido para os números reais positivos representados por `x`, como logaritmo da base *e*.

O cálculo do logaritmo natural, de forma aproximada, pode ser obtido a partir da multiplicação do valor `99.999.999,49` com o valor de `x` elevado ao inverso de `99.999.999,49` menos 1. Por questão de praticidade o valor `99.999.999,49` será definido como uma constante denominada `peso`. Observe o código seguinte escrito em *português funcional*.

```
1: const peso = 99999999.49
2: lognat (número) >> número
3: lognat (x) << peso * (x ^ (1 / peso) - 1)
```

A partir da definição da função `lognat(x)` com o valor 2, ocorrerá a seguinte execução:

```
lognat(2)                                   |lognat (número) >> número
lognat(2) = 99999999.49 * (2 ^ (1 / 99999999.49) - 1)|
lognat(2) = 0.69314...                      |lognat (x) << peso * (x ^ (1 / peso) - 1)
```

Com base na definição da constante `peso` e da função `lognat(x)`, veja sua ação com a chamada `lognat(2)`:

```
?| lognat(2)
>| 0.69314...
?| _
```

Note, em seguida, a definição da função `lognat(x)` com a linguagem Hope.

```
dec peso : num;
--- peso <= 99999999.49;
dec lognat : num -> num;
--- lognat x <= peso * (pow (x, 1 / peso) - 1);
```

Veja, em seguida, a definição da função `lognat x` com a linguagem Haskell.

```
:{
peso :: (Floating a) => a
peso = 99999999.49
lognat :: (Floating a) => a -> a
lognat x = peso * (x ** (1 / peso) - 1)
:}
```

Com base na definição da função para o cálculo do logaritmo natural é possível definir uma função que calcule o logaritmo de um número para uma base qualquer.

Assim, considere a definição da função `logbas(x, b)` que calcula o logaritmo de *X* na base *B* indicada. Observe o código seguinte escrito em *português funcional*.

```
1: logbas (número, número) >> número
2: logbas (x, b) << lognat (x) / lognat (b)
```

A partir da definição da função logbas(x, b) com os valores 2 e 10, ocorrerá a seguinte execução:

```
logbas(2, 10)                           |logbas (número, número) >> número
logbas(2, 10) = lognat (2) / lognat (10) |
logbas(2, 10) = 0.69314... / 2.30258...  |
logbas(2, 10) = 0.30102...              |logbas (x, b) << lognat (x) / lognat (b)
```

Com base na definição da função logbas(x, b), veja sua ação com a chamada `logbas(2, 10)`:

```
?| logbas(2, 10)
>| 0.30102...
?| _
```

Note, em seguida, a definição da função logbas(x, b) com a linguagem Hope.

```
dec logbas : num # num -> num;
--- logbas (x, b) <= lognat (x) / lognat (b);
```

Observe, em seguida, a definição da função logbas x b com a linguagem Haskell.

```
:{
logbas :: (Floating a) => a -> a -> a
logbas x b = lognat x / lognat b
:}
```

Este capítulo é encerrado a partir da apresentação de alguns exemplos de uso e desenvolvimento de funções para algumas operações matemáticas mais simples. Os exemplos de funções aqui indicados seguem o estilo de programação sequencial.

> EXERCÍCIOS

Os exercícios seguintes deverão ser codificados em *português funcional*. As codificações nas linguagens Hope e Haskell são opcionais.

1 > Elabore uma função chamada `área_circ(r)` que receba como argumento o parâmetro raio (`r`) e retorne o resultado da área de uma circunferência. Considere o uso da constante `x_pi` estabelecida neste capítulo. Use a operação `x_pi * r ^ 2`.

2 > Elabore uma função chamada `qsoma(a, b)` que receba como argumento dois parâmetros "`a`" e "`b`" e retorne o resultado do quadrado da soma dos dois valores fornecidos. A função deverá efetuar toda a operação dentro de seu escopo de ação sem lançar mão de composição entre funções.

3 > Elabore uma função chamada `x_pi_em_e(x)` que receba como argumento o parâmetro de um valor numérico e retorne o resultado deste valor multiplicado pela constante `x_pi` e dividido pela constante `x_e`.

4 > Elabore uma função chamada `suc(x)` que receba como argumento o parâmetro de um valor numérico inteiro e retorne o resultado de seu valor sucessor.

5 > Elabore uma função chamada `c2f(c)` que receba como argumento o parâmetro de um valor numérico que represente uma temperatura Celsius e retorne o resultado da temperatura em graus Fahrenheit. Use a operação `(c * 9 / 5) + 32`.

6 > Elabore uma função chamada `f2c(f)` que receba como argumento o parâmetro de um valor numérico que represente uma temperatura Fahrenheit e retorne o resultado da temperatura em graus Celsius. Use a operação `(f - 32) * 5 / 9`.

7 > Elabore uma função chamada `c2k(c)` que receba como argumento o parâmetro de um valor numérico que represente uma temperatura Celsius e retorne o resultado da temperatura em graus Kelvin. Use a operação `c + 273.15`.

8 > Elabore uma função chamada `k2c(k)` que receba como argumento o parâmetro de um valor numérico que represente uma temperatura Kelvin e retorne o resultado da temperatura em graus Celsius. Use a operação `k - 273.15`.

9 > Elabore uma função chamada `metros2centímetros(m)` que receba como argumento o parâmetro de um valor numérico que represente uma quantidade da medida em metros e retorne o valor da quantidade em centímetros.

10 > Elabore uma função chamada `são_iguais(a, b)` que receba como argumento dois parâmetros "`a`" e "`b`" e retorne `.verdadeiro.`, se os valores forem iguais, ou `.falso.`, se os valores forem diferentes.

11 > Elabore uma função chamada `ant(x)` que receba como argumento o parâmetro de um valor numérico inteiro e retorne o resultado de seu valor antecessor.

12 > Elabore, em código português funcional, uma função `cubo(x)` que receba como argumento o parâmetro de um valor numérico e retorne o resultado do cubo deste valor.

13 > Elabore uma função chamada `k2f(k)` que receba como argumento o parâmetro de um valor numérico que represente uma temperatura Kelvin e retorne o resultado da temperatura em graus Fahrenheit. Use a operação `(k - 273.15) * 9 / 5 + 32`. A função deverá efetuar toda a operação dentro de seu escopo de ação sem lançar mão da composição entre as funções.

14 > Elabore uma função chamada `f2k(f)` que receba como argumento o parâmetro de um valor numérico que represente uma temperatura Fahrenheit e retorne o resultado da temperatura em graus Kelvin. Use a operação `(f - 32) * 5 / 9 + 273.15`. A função deverá efetuar toda a operação dentro de seu escopo de ação sem lançar mão da composição entre as funções.

15 > Elabore uma função chamada `imc(p, a)` que receba como argumento dois parâmetros representando o peso "`p`" e altura "`a`" de uma pessoa e mostre seu *IMC(Índice de Massa Corporal)*. Considere a fórmula `p / a ^ 2`.

16 > Elabore uma função chamada `produto(x, y)` que receba como argumento dois parâmetros representados como "`x`" e "`y`" e retorne o resultado da multiplicação dos dois valores fornecidos.

17 > Elabore uma função chamada `eq1grau(a, b)` para realizar o cálculo da equação de primeiro grau.

18 > Elabore uma função chamada `área_ret(lado1, lado2)` que receba como argumento os valores das medidas dos lados de um retângulo e devolva o resultado de sua área, ou seja, `lado1` multiplicado pelo `lado2`.

CAPÍTULO 3

PROGRAMAÇÃO COM CONTROLE DE FLUXO

Este capítulo aborda temas relacionados a tomadas de decisão com desvio condicional direto e indireto focando e ampliando a aplicação de correspondência de padrões para serem usados de forma combinada. Apresenta o conceito de recursividade simples e de cauda, forma usada no paradigma declarativo funcional para se estabelecer a execução de laços.

3.1 DESVIO CONDICIONAL

Para que um programa de computador possa executar desvios condicionais em ações de tomada de decisões, é necessário que haja a definição de certa condição. Do ponto de vista computacional, pode-se considerar decisão a ação lógica que conduz a uma escolha *verdadeira* (*sim*) ou *falsa* (*não*) a partir da definição de certa condição ou condições. A condição, por sua vez, é a relação lógica estabelecida entre dois elementos passíveis de avaliação, podendo ser definida a partir da relação de variáveis com variáveis ou de variáveis com constantes com o uso em conjunto de operadores relacionais, já comentados, além do estabelecimento de *correspondência de padrões*.

Como indicado, uma decisão a ser tomada pode ser verdadeira ou falsa. Se verdadeira, determina uma ação a ser executada; caso seja falsa, determina outra ação a ser executada. As linguagens funcionais proporcionam, normalmente, duas formas de definição de expressões condicionais: uma indireta (implícita) sem o uso de comando específico por meio da definição de correspondência de padrões, útil para a tomada de decisões simples ou seletivas, e outra direta (explícita) com o uso de comandos específicos, como se, então e senão para a tomada de decisões compostas.

3.1.1 DESVIO CONDICIONAL INDIRETO

Um desvio condicional indireto ocorre quando há a definição implícita de expressões subsequentes ao estilo decisão seletiva ou simplesmente desviam a ação do código a certa operação (expressão) e, em seguida, encerram a execução da função. Para exemplificar o uso de desvio condicional indireto considere a definição hipotética de uma função chamada adição(x, y) que apresente o resultado da soma de dois valores numéricos que sejam diferentes de zero. Se qualquer um dos valores fornecidos for zero, a função deverá retornar o outro valor sem processar a adição. Sendo ambos os valores diferentes de zero deve ser efetuado o cálculo desejado. Observe atentamente os detalhes apontados em *português funcional*.

```
1: adição (número, número) >> número
2: adição (0, y) << y
3: adição (x, 0) << x
4: adição (x, y) << x + y
```

A linha 1 é usada para indicar a definição do cabeçalho da função que possui o nome da função, neste caso adição; os argumentos de entrada de dados dos parâmetros entre parênteses "(número, número)" representando a recepção de dois valores numéricos e após o símbolo de extração (saída) ">>" a indicação do valor de retorno que é a resposta retornada pela função do tipo número. Esta forma de definição especifica o protótipo de uso da função, ou seja, seu formato e como seu comportamento deverá ocorrer na memória do computador.

A linha 2 diz que se o primeiro valor do padrão de correspondência (0, y) fornecido for 0, o segundo valor será retornado sem a necessidade da operação de cálculo ser efetivada. Neste caso, a função é encerrada.

O mesmo ocorre com a correspondência de padrão (x, 0) definida na linha 3 que se tiver o segundo argumento como 0 retornará o primeiro como resposta da ação.

A linha 4, por sua vez, será executada quando ambos os valores fornecidos forem diferentes de zero e, nesse caso, a operação de adição será processada.

Veja que se ambos os valores dos argumentos forem definidos como 0 será executada a correspondência de padrão definida na linha 2.

Há um detalhe intrínseco a ser considerado nessa questão: linguagens funcionais quando encontram na definição da correspondência de padrão um valor previsto, como é o caso do valor 0, não avaliam os demais detalhes da função. Esse tipo de ocorrência, onde parte dos argumentos é naturalmente desprezada, sem afetar a qualidade da operação é conhecida como *avaliação preguiçosa*.

A avaliação preguiçosa (`lazy evaluation`) é uma técnica usada para retardar o processamento de certa função até que o resultado obtido seja suficientemente necessário. O curioso nessa estratégia é o aumento do desempenho da função ao se evitar que operações desnecessárias sejam processadas como a ação da linha 4. Veja que as linhas 2 e 3 evitam o processamento do cálculo da linha 4 se qualquer um dos argumentos for 0.

Com base na definição da função adição(x, y) considere para seu uso as ações operacionais apontadas em seguida:

```
?| adição(0, 0)
>| 0
?| _
```

```
?| adição(0, 1)
>| 0
?| _

?| adição(2, 0)
>| 0
?| _

?| adição(2, 1)
>| 3
?| _
```

Observe, em seguida, a definição da função adição(x, y) usando o desvio condicional indireto com a linguagem Hope.

```
dec adicao : num # num -> num;
--- adicao (0, y) <= y;
--- adicao (x, 0) <= x;
--- adicao (x, y) <= x + y;
```

Observe, em seguida, a definição da função adição x y usando o desvio condicional indireto com a linguagem Haskell.

```
:{
adicao :: (Eq a, Num a) => a -> a -> a
adicao 0 y = y
adicao x 0 = x
adicao x y = x + y
:}
```

O uso de desvio condicional indireto tem por finalidade agilizar o tempo de execução de uma função, pois se cada uma das duas primeiras condições da função adição(x, y) for zero a operação de cálculo não necessitará ser realizada, agilizando o processamento da função, uma vez que a operação de soma só será realizada efetivamente quando os dois valores forem diferentes de zero.

3.1.2 DESVIO CONDICIONAL DIRETO

O desvio condicional direto ocorre quando se utiliza a definição explícita de tomada de decisão composta com a finalidade de controlar o fluxo de ação de certa função, obtendo-se resultado lógico verdadeiro ou falso e direcionando a partir de então certa ação. Esse evento é tratado com o uso da instrução se / então / senão. Se o resultado lógico da condição for verdadeiro, a ação definida após o comando então é executada, caso o resultado seja falso a ação executada será a que estiver definida após o comando senão.

Observe um dos estilos de escrita da instrução para efetivação do desvio condicional direto.

```
se <condição> então <ação verdadeira> senão <ação falsa>
```

A instrução para desvio condicional direto também pode ser escrita como a seguir:

```
se <condição>
então <ação verdadeira>
senão <ação falsa>
```

Onde "condição", como mencionado, é a definição de uma expressão lógica formada pela relação de no mínimo uma variável relacionada com outra variável ou mesmo com constante. Se a condição for verdadeira, é executado o trecho "ação verdadeira" após o comando "então". Não sendo a condição verdadeira, é executado o trecho "ação falsa" após o comando "senão". É pertinente salientar que é possível fazer uso de diversos encadeamentos da instrução "se" com a instrução "se" após os comandos "então" e "senão".

Como exemplo de tomada de decisão direta considere, respectivamente, a definição das funções par(n) e ímpar(n) que retornam valor lógico .verdadeiro. se os valores informados forem, respectivamente, divisíveis por 2 para par ou não divisíveis por 2 para ímpar. Caso contrário o retorno deverá ser .falso..

```
1: par (número) >> lógico
2: par (n) << se (n mod 2 = 0) então .verdadeiro. senão .falso.
```

```
1: ímpar (número) >> lógico
2: ímpar (n) << se (n mod 2 <> 0) então .verdadeiro. senão .falso.
```

Observe que nas linhas 1 são definidos os protótipos das funções especificando o argumento de entrada numérico (número) e o resultado de saída sendo do tipo lógico. Veja que uma função pode receber valores de um tipo e devolver valores de outro tipo sem nenhum tipo de problema.

As linhas 2 efetivamente de cada função processam o retorno se determinado valor fornecido for par ou ímpar. Para verificar se um valor numérico é par ou ímpar é necessário dividi-lo por 2 e obter desta operação obrigatoriamente um quociente inteiro. Quando o quociente de uma divisão é inteiro, torna-se possível obter o valor do resto da divisão que é o pivô que permite identificar se determinado valor é par ou ímpar. Um valor numérico será par quando o resto da divisão por 2 for igual a 0 (x mod 2 = 0) e será ímpar quando o resto da divisão por 2 for diferente de 0 (x mod 2 <> 0). O operador aritmético mod representa o resultado do resto de um dividendo (valor à esquerda do operador mod) sobre um divisor (valor à direita do operador mod).

A função ímpar(n) pode ser definida a partir da negação da execução da função par(n). Assim sendo, considere uma segunda versão da função ímpar(n) chamada ímpar2(n) descrita, em seguida, em *português funcional*.

```
1: ímpar2 (número) >> lógico
2: ímpar2 (n) << .não. (par (n))
```

Com base nas definições das funções par(n), ímpar(n) e ímpar2(n), considere para seu uso as ações operacionais apontadas em seguida:

```
?| par(2)
>| .verdadeiro.
?| _

?| par(3)
>| .falso.
?| _

?| ímpar(2)
>| .falso.
?| _

?| ímpar(3)
>| .verdadeiro.
?| _

?| ímpar2(8)
>| .falso.
?| _

?| ímpar2(5)
>| .verdadeiro.
?| _
```

Observe, em seguida, a definição das funções par(n), ímpar(n) e ímpar2(n) usando o desvio condicional direto com a linguagem Hope.

```
dec par : num -> truval;
--- par n <= if n mod 2 = 0 then true else false;
```

```
dec impar : num -> truval;
--- impar n <= if n mod 2 /= 0 then true else false;


dec impar2 : num -> truval;
--- impar2 n <= not (par n);
```

Observe, em seguida, a definição das funções par n, ímpar n e ímpar2 n usando o desvio condicional direto com a linguagem Haskell.

```
par :: (Integral a) => a -> Bool
par n = if mod n 2 == 0 then True else False


impar :: (Integral a) => a -> Bool
impar n = if mod n 2 /= 0 then True else False


impar2 :: (Integral a) => a -> Bool
impar2 n = not (par n)
```

No sentido de ampliar o uso de decisão sobre o uso de desvio condicional direto, considere a função max(x, y) que tem por finalidade retornar o maior valor numérico a partir de dois valores fornecidos. Veja o código em *português funcional*:

```
1: max (número, número) >> número
2: max (x, y) << se (x > y) então x senão y
```

A linha 1 especifica o protótipo da função que recebe a entrada de dois valores numéricos e devolve um deles, neste caso, o maior. Veja que na linha 2 é verificado se o valor *X* é maior que o valor *Y* e, sendo, será retornado o valor *X*, caso contrário será retornado o valor *Y*.

Com base na definição da função max(x, y) considere para seu uso as ações apontadas em seguida:

```
?| max(2, 3)
>| 3
?| _

?| max(5, 5)
>| 5
?| _

?| max(9, 3)
>| 9
?| _
```

Observe, em seguida, a definição da função max(x, y) para a obtenção do maior valor numérico de dois valores fornecidos com a linguagem Hope.

```
dec max : num # num -> num;
--- max (x, y) <= if x > y then x else y;
```

Observe, em seguida, a definição da função max x y para a obtenção do maior valor numérico de dois valores fornecidos com a linguagem Haskell.

```
:{
max :: (Ord a, Num a) => a -> a -> a
max x y = if x > y then x else y
:}
```

No uso de desvio condicional direto é possível definir qualquer operação de processamento matemático ou lógico após os comandos "então" e "senão", incluindo-se, se necessário, o encadeamento de outros desvios condicionais diretos.

3.1.3 DESVIO CONDICIONAL COMBINADO

Um detalhe a ser considerado é a possibilidade de uso em conjunto dos conceitos de desvio condicional direto e indireto. Esse efeito pode ser referenciado como *desvio condicional combinado*. No entanto, seu uso dependerá de diversos fatores condicionais a serem avaliados.

A título de demonstração, apenas didática neste momento, considere uma função hipotética chamada valorx(n) que ao receber o valor 0 deve retornar 0, se receber o valor 1 deve retornar 2, se receber um valor entre 2 e 8 deve retornar o valor multiplicado por 5. Qualquer outro valor deverá ser dividido por 5. Observe atentamente o código em *português funcional* seguinte.

```
1: valorx (número) >> número

2: valorx (0) << 0

3: valorx (1) << 2

4: valorx (n) << se (n > 1) .e. (n < 9) então n * 5 senão n / 5
```

A linha 1 especifica o protótipo da função. Entre as linhas 2 e 3 faz-se a definição do *desvio condicional indireto* que ao detectar um dos valores estabelecidos 0 ou 1 efetua, respectivamente, o retorno dos valores 0 e 2 evitando que qualquer outra instrução como expressão da função seja executada. Já a linha 4 efetua o uso de *desvio condicional direto* para operacionalizar um dos cálculos esperados.

Com base na definição da função max(x, y) considere para seu uso as ações apontadas em seguida:

```
?| valorx(2)

>| 10

?| _


?| valorx(9)

>| 1.8

?| _
```

```
?| valorx(0)
>| 0
?| _

?| valorx(1)
>| 2
?| _

?| valorx(10)
>| 2
?| _
```

Observe, em seguida, a definição da função valorx(n) com a linguagem Hope.

```
dec valorx : num -> num;
--- valorx 0 <= 0;
--- valorx 1 <= 2;
--- valorx n <= if n > 1 and n < 9 then n * 5 else n / 5;
```

Observe, em seguida, a definição da função valorx n com a linguagem Haskell.

```
:{
valorx:: (Eq a, Ord a, Fractional a, Num a) => a -> a
valorx 0 = 0
valorx 1 = 2
valorx n = if n > 1 && n < 9 then n * 5 else n / 5
:}
```

Atente-se para o fato de que o uso em conjunto das técnicas de desvio condicional direto e indireto formam uma forte frente de operação que permite definir uma estrutura condicional bastante flexível para diversas necessidades operacionais.

3.2 RECURSIVIDADE

Linguagens de programação funcionais puras não possuem comandos para a efetivação de laços. A repetição de trechos de código deve ser produzida a partir do uso de ações recursivas. Devido à característica operacional típica de uma função, que é retornar sempre uma resposta a sua ação, é possível desenvolver funções que fazem chamadas a si mesmas. Esse efeito denomina-se recursividade e permite executar o processamento de certo trecho de código sem o uso de laços que sejam explícitos e variáveis convencionais. Uma função recursiva é uma estrutura simples que representa um algoritmo de cálculo complexo, segundo Meneses (2013, p. 216).

Uma função recursiva não pode chamar a si mesma indiscriminadamente, pois se assim o fizer entrará em um processo infinito de chamar a si mesma, podendo interromper a ação operacional do computador como um todo no momento em que os recursos de memória forem esgotados. Desta forma, é necessário que a função recursiva tenha a definição de uma condição de encerramento (`aterramento`) que é a solução mais simples e menor para o problema avaliado.

A ação de aterramento deve ser definida antes da linha de código que efetua a recursão, pois ao contrário ocasionará o efeito de execução infinita de recursividade inviabilizando seu uso.

O efeito de recursividade é possível nos casos em que se utilizam algoritmos repetitivos como as operações de exponenciação, fatorial, somatório, série de Fibonacci, iteração de listas, entre outras.

A recursão se aplica efetivamente em situações onde certo problema possui como parte de sua solução uma instância do mesmo problema em um nível menor como indica Feofiloff (2016).

Recursividade de forma geral é considerada uma ação elegante, pois facilita a abstração e a modularidade no desenvolvimento de funções complexas com pouco esforço de código. No entanto, se não for planejada de maneira adequada poderá se tornar uma grande "dor de cabeça".

As ações recursivas podem ser produzidas a partir de duas estratégias operacionais: recursão simples e recursão de cauda.

3.2.1 RECURSIVIDADE SIMPLES

A recursividade simples é a forma mais natural de seu uso. No entanto, é um mecanismo que, devido ao efeito de empilhamento, ocupa muito espaço de memória em computadores, uma vez que o estado da função tem que ser salvo na pilha a cada execução para ser utilizado após o retorno da ação recursiva, como aponta Moura (2019, p. 64). Seu uso é indicado para ações que sejam simplistas.

Para (MOURA, 2019, p. 65) "quando uma função é executada, seus parâmetros e suas variáveis locais são carregados na pilha de operandos" e acrescenta que "somente ao término da execução da função estes parâmetros e variáveis locais são retirados da pilha". Este comportamento faz com que a pilha cresça a cada chamada o que pode levar a um estouro da capacidade de armazenamento (`stack overflow`), uma vez que existe para a pilha um limite de tamanho operacional que pode ser utilizado.

Uma das operações matemáticas mais simples que abrange a ação de aplicação recursiva, de maneira natural, é a exponenciação exemplificada de maneira muito propícia por Bird & Wadler (1988, pp. 104–108). Assim sendo, considere que a operação matemática x^n pode ser representada computacionalmente como `x ^ n` a partir da regra matemática de recursão.

```
x0      = 1
x1      = x
x(n+1)  = x . (xn)
```

Neste caso, de acordo com a *correspondência de padrão* anterior se o valor do índice de *X* for 0, o valor retornado será 1 e se o valor de *X* for 1, o valor retornado será *X*, mas se o valor de *X* for maior que 1 quando *N + 1* o retorno será o valor de *X* multiplicado por *X* elevado a *N*. Agora observe a definição da operação de exponenciação ao estilo computacional.

```
x ^ 0       = 1
x ^ 1       = x
x ^ (n + 1) = x * (x ^ n)
```

Segundo Moura (2019, p. 57): "A correspondência de padrões é uma maneira de estabelecer padrões de reconhecimento em linguagens funcionais que permitem escrever códigos sucintos e versáteis." A partir do reconhecimento do padrão computacional transcrito do padrão matemático basta estabelecer o algoritmo para a realização do cálculo desejado. Desta forma, considere o algoritmo a seguir:

```
x ^ n = 1,                  se n = 0
x ^ n = x,                  se n = 1
x ^ n = x * (x ^ (n - 1)),  se n > 1
```

Perceba que *X* elevado a *N* será 1 se *N* for igual a 0. Caso *N* seja maior que 0, o valor de *X* será multiplicado por *X* elevado a *N - 1* até o ponto em que *N* tornar-se-á 0 e a ação recursiva será encerrada. Note que a ação n + 1, como índice antes do sinal de igualdade, foi retirada da fórmula e inserido n - 1 como índice após o sinal de igualdade na expressão computacional. Essa mudança se aplica pelo fato de essa ação facilitar a implementação da operação em computadores. No entanto, há de se considerar que a nomenclatura matemática é bem mais clara que a forma computacional.

A título de ilustração, considere obter o resultado da potência de 5^3, computacionalmente escrita como 5 ^ 3 e descrita detalhadamente a seguir, adaptado de Bird & Wadler (1988, p. 105).

```
(1) 5 ^ 3 = 5 * (5 ^ 2)
(2)       = 5 * (5 * (5 ^ 1))
(3)       = 5 * (5 * (5 * (5 ^ 0)))
(4)       = 5 * (5 * (5 * 1)))
(5)       = 125
```

A ação indicada na linha (1) decompõe a operação 5 ^ 3 em 5 * (5 ^ 2), onde o valor 2 é o resultado de *N - 1* a partir do valor 3 do índice da exponenciação.

A linha (2) efetua a operação 5 * (5 * (5 ^ 1)), onde o valor 1 é o resultado de *N - 1* a partir do valor 2 do índice da exponenciação.

Na linha (3) ocorre a operação 5 * (5 * (5 * (5 ^ 0))), onde o valor 0 é o resultado de *N - 1* a partir do valor 1.

Após a execução das linhas (1), (2) e (3) estão decompostos todos os valores da exponenciação como indicado na linha (4) a partir da operação 5 * (5 * (5 * 1))) que indica na linha (5) o resultado 125, potência de 5 ^ 3.

Na sequência observe os detalhes de definição em *português funcional* do código para a representação da função potência(x, n) com uso de desvio condicional indireto e recursividade.

```
1: potência (número, número) >> número
2: potência (x, 0) << 1
3: potência (x, 1) << x
4: potência (x, n) << x * potência (x, n - 1)
```

O protótipo da função na linha 1 especifica que a função potência(x, n) recebe dois valores como entrada e devolve um resultado como saída. A linha 2 devolve o resultado da potência do valor fornecido elevado a zero e a linha 3 devolve o resultado da potência do valor fornecido elevado a um. O cálculo efetivo da potência ocorre com a linha 4 que efetua a multiplicação do valor *X* por *N* em uma instância menor de *N* a cada chamada recursiva até chegar na condição potência (x, 0) << 1, quando cada instância sucessivamente chamada é encerrada, voltando-se ao nível anterior até a primeira chamada de toda a operação. A Figura 3.1 demonstra como ocorre a execução do cálculo com a função potência(x, n).

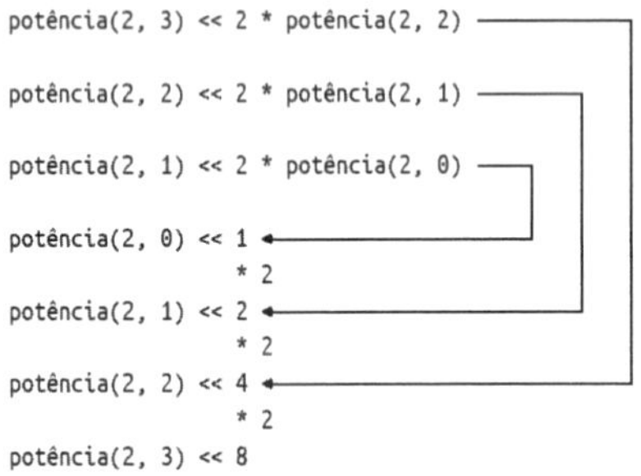

```
potência(2, 3) << 2 * potência(2, 2)
potência(2, 2) << 2 * potência(2, 1)
potência(2, 1) << 2 * potência(2, 0)
potência(2, 0) << 1
                  * 2
potência(2, 1) << 2
                  * 2
potência(2, 2) << 4
                  * 2
potência(2, 3) << 8
```

Figura 3.1 — Estrutura funcional da função potência.

Com base na definição da função potência(x, n) considere como sua operação a ação de executar potência(5, 3):

```
?| potência(5, 3)
>| 125
?| _
```

Observe, em seguida, a definição da função potência(x, n) com a linguagem Hope.

```
dec potencia : num # num -> num;
--- potencia (x, 0) <= 1;
--- potencia (x, 1) <= x;
--- potencia (x, n) <= x * potencia (x, n - 1);
```

Note, em seguida, a definição da função potência x n com a linguagem Haskell.

```
:{
potencia :: (Eq a, Ord a, Num a) => a -> a -> a
```

```
potencia x 0 = 1

potencia x 1 = x

potencia x n = x * potencia x (n - 1)

:}
```

Fica perceptível que a ação de recursividade implementada sobre uma função efetua uma série de chamadas a si mesma até que certa condição de aterramento seja satisfeita e proceda ao encerramento da função.

Cabe abrir parênteses em relação ao uso de variáveis na programação funcional. Como orientado, esse recurso é imutável. Isso significa que uma vez definida uma variável e a ela associado um valor, este não pode ser alterado em hipótese alguma. Isto posto, como ficam as operações de recursividade que acrescentam ou decrementam valores em uma variável? Elas são alteradas no contexto da recursividade? A resposta a essas perguntas é que as variáveis são imutáveis e por essa razão, não podem ser alteradas após a definição de um valor inicial. O que ocorre é que a cada chamada recursiva uma nova instância da variável é criada em memória com seu "novo" valor, ou seja, os valores das instâncias anteriores permanecem inalterados e armazenados no empilhamento anterior.

Essa estratégia operacional leva à outra questão. A programação funcional ocupa naturalmente mais memória que a programação imperativa, tendo esse sido um dos motivos pelos quais este paradigma levou muito tempo para se consolidar.

O exemplo anterior é operado a partir do uso da forma de recursividade simples. A recursividade simples possui como desvantagem o fato de acumular em memória o empilhamento dos valores de uma função a cada chamada de si mesma, sobrecarregando a memória se não for bem administrado.

O consumo de memória chega a ser imperceptível nos casos em que funções chamem a si mesmas apenas uma instância por vez, mas se for necessário chamar mais de uma instância da função a cada iteração as coisas podem se complicar, como é o caso de uso da série de *Fibonacci*.

3.2.2 RECURSIVIDADE DE CAUDA

Dependendo da estrutura ou complexidade de uma função, o cálculo recursivo poderá se tornar lento além de chegar a esgotar rapidamente e por completo o espaço de memória de um computador inviabilizando sua execução na pilha de operando. Para sanar esse efeito desastroso, deve-se mudar a estratégia de desenvolvimento de funções recursivas a partir do uso da ação de *recursividade de cauda*.

A recursividade de cauda ocorre quando a última chamada da função é realizada diretamente na cauda não havendo nenhuma operação pendente e nem a ocorrência de empilhamentos de memória a serem realizadas dentro da função quando o retorno ocorrer, segundo indica Backfield (2014, p. 61).

Para visualizar esse tipo de ocorrência considere o uso da série de *Fibonacci* formada pela sequência de valores inteiros 0, 1, 1, 2, 3, 5, 8, 13 que pode ser usada para a simulação de crescimento populacional, como demonstrado por *Fibonacci* a partir do estudo realizado com uma população de coelhos.

A fórmula do cálculo da série *Fibonacci* corresponde a equação Fn = Fn-1 + Fn-2 que pode ser representada computacionalmente a partir da correspondência de padrão em que fatorial de 0 é 0, fatorial de 1 é 1, fatorial de 2 é 1 e o fatorial de um valor maior que 2 é o somatório de *N - 1* com *N - 2*, de acordo com a seguinte indicação:

```
F0  = 0

F1  = 1

F2  = 1

Fn  = Fn-1 + Fn-2
```

A notação matemática Fn para o cálculo do termo da sequência de *Fibonacci* pode ser escrita computacionalmente como fib n a partir da função fib(n) regimentada pelas regras seguintes.

```
fib (n) = 0,                       se n = 0

        = 1,                       se n = 1

        = 1,                       se n = 2

        = fib (n - 1) + fib (n - 2),   se n > 2
```

Observe que a operação recursiva da série de *Fibonacci* efetua chamadas sucessivas a si mesma por duas vezes: uma com fib (n - 1) e outra com fib (n - 2). Note que cada uma dessas chamadas pode chamar a si mesma mais duas vezes, dependendo da condição avaliada, e assim consumindo grande espaço de memória rapidamente.

Atente, a seguir, para a definição do código do cálculo da função fib(n) escrito em *português funcional* segundo o estilo de recursividade simples.

```
1: fib (número) >> número

2: fib (0) << 0

3: fib (1) << 1

4: fib (2) << 1

5: fib (n) << fib (n - 1) + fib (n - 2)
```

Após a definição do protótipo da função na linha 1, as linhas de 2 a 4 efetuam o retorno dos valores iniciais da série com o uso da técnica de desvio condicional indireto sem que a operação recursiva seja realizada. A linha 5 efetua a operação do valor atual da série com a chamada fib (n - 1) somado ao valor anterior da série com a chamada fib (n - 2), que por sua vez chamam a si mesmas mais duas vezes a cada instância. É perceptível que o consumo de memória se torna intenso e a obtenção de um resultado a partir do uso da função fib(n) pode ser bastante demorado.

Com base na definição da função fib(n) considere para seu uso as ações apontadas em seguida:

```
?| fib(5)
>| 5
?| _

?| fib(7)
>| 13
?| _

?| fib(30)
>| 83204
?| _
```

Observe, em seguida, a definição da função fib(n) com a linguagem Hope.

```
dec fib : num -> num;
--- fib 0 <= 0;
--- fib 1 <= 1;
--- fib 2 <= 1;
--- fib n <= fib (n - 1) + fib (n - 2);
```

Observe, em seguida, a definição da função fib n com a linguagem Haskell.

```
:{
fib :: (Integral a) => a -> a
fib 0 = 0
fib 1 = 1
fib 2 = 1
fib n = fib (n - 1) + fib (n - 2)
:}
```

Se for realizado um teste de execução nas linguagens funcionais Hope e Haskell você perceberá que o tempo de resposta para a obtenção do valor do décimo terceiro termo será maior que o tempo para a obtenção do valor do sétimo termo. Sendo que, quanto maior o valor do termo maior será o tempo de cálculo para o retorno do valor desejado, podendo-se levar de alguns segundos, minutos e até horas antes mesmo de consumir todo o espaço da pilha.

Nos testes realizados para a elaboração deste livro, o tempo de processamento da operação `fib(13)` na linguagem Hope foi de aproximadamente sete minutos e na linguagem Haskell o tempo de processamento foi de aproximadamente quatro minutos e meio.

A recursividade simples aplicada manualmente, sobre uma folha de papel, não oferece nenhuma desvantagem para a realização de cálculos matemáticos manuais a não ser o tempo de realização da operação, mas em computadores sua aplicação pode ser problemática. A solução a essa situação é o uso de recursividade de cauda.

Veja um pequeno esquema de comportamento da execução da sequência de *Fibonacci* com o uso de recursividade simples na Figura 3.2 e observe o que acorre internamente na memória para efetuar o cálculo de `fat(5)` com as ações de empilhamento.

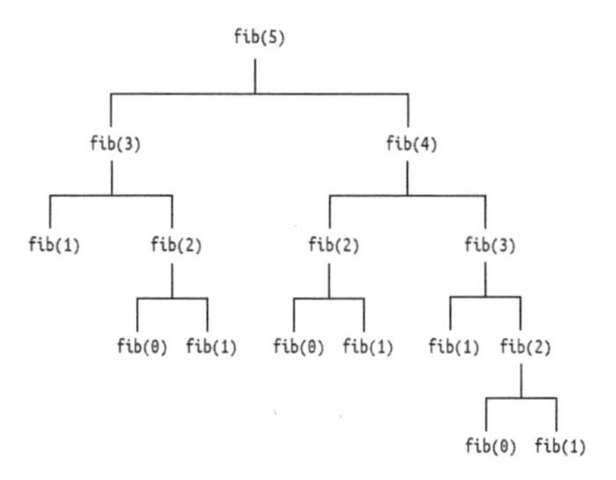

Figura 3.2 — Esquema de funcionamento função fib.

A recursividade em cauda é uma técnica que garante menor consumo de memória por não ser necessário guardar a posição da n-última chamada da função, ou seja, nenhum processamento adicional após o encerramento temporário da função é realizado na forma de empilhamento.

A recursividade de cauda pode ser definida de duas maneiras distintas, dependendo da linguagem de programação em uso: linguagens que aceitam a definição de argumentos opcionais, onde o valor de certo argumento pode ser omitido e a função assume um valor padrão para a ação e linguagens que não permitem a definição de argumentos opcionais.

As linguagens que aceitam o uso de argumentos opcionais permitem resolver a recursão de cauda com a escrita de apenas uma função. Já as linguagens que não usam argumentos opcionais necessitam da definição de duas funções: uma função faz a recepção de um argumento de forma simplificada, passando-o a segunda função que usa o argumento passado pela primeira função mais os argumentos de apoio à operação.

Como exemplo de uso de recursividade de cauda com a função que utilize argumento com valor opcional, considere o código seguinte em *português funcional*:

```
1: fib2 (número, opcional número << 0, opcional número << 1) >> número
2: fib2 (0, anterior, atual) << anterior
3: fib2 (1, anterior, atual) << atual
4: fib2 (2, anterior, atual) << atual + anterior
5: fib2 (n, anterior, atual) << fib2 (n - 1, atual, anterior + atual)
```

Veja que na linha 1 o protótipo estabelece a definição de três argumentos, sendo o primeiro obrigatório e os outros dois opcionais. Note que se os argumentos opcionais forem omitidos na chamada da função fib2(7) esses assumirão seus valores padrão 0 e 1 e será retornado o resultado 13 (valor do sétimo termo de *Fibonacci*). Os demais detalhes operacionais da função fib2(n) são apresentados mais adiante.

Ao mesmo tempo em que essa técnica aparentemente facilita o uso da função com recursividade de cauda abre uma porta para possíveis problemas técnicos, pois o que aconteceria se fosse usada, por inadvertência, a chamada da função fib2(7, 1, 2)? Ocorreria a apresentação do resultado 34 que nada tem a ver com o sétimo termo da sequência.

Uma possível solução a essa questão é fazer uso de duas funções. Uma função simples de forma pública que efetua a recepção do valor "obrigatório" e faz a chamada de uma segunda função privada. A segunda função, privada, "pega" o valor "obrigatório" da primeira função e com seus valores obrigatórios executa o cálculo.

Quando uma função é definida como privada ela não pode ser usada de forma direta. Seu uso fica condicionado a ser realizado por outra função. Apesar de mais trabalhosa, essa técnica é mais segura. No entanto, esse recurso dependerá da disponibilidade da linguagem formal em uso.

Considerando a definição de função sem uso de argumentos opcionais (mais provável) a solução é desenvolver duas funções: uma para o cálculo da ação como base da operação e outra para simplificar o acesso do cálculo para o usuário. Assim sendo, observe a notação computacional recursiva de cauda seguinte.

```
1: fibbase (número, número, número) >> número
2: fibbase (0, anterior, atual) << anterior
3: fibbase (1, anterior, atual) << atual
4: fibbase (2, anterior, atual) << atual + anterior
5: fibbase (n, anterior, atual) << fibbase (n - 1, atual, anterior + atual)

6: fib2 (número) >> número
7: fib2 (n) >> fibbase (n, 0, 1)
```

As linhas 1 e 6 estabelecem, respectivamente, os protótipos das funções fibbase(n, atual, anterior) e fib2(n). Veja que a função definida na linha 1 faz uso de três argumentos de entrada e gera um valor numérico de saída. A função definida na linha 6 faz uso de um argumento de entrada e um de saída.

A linha 7 da função fib2(n) faz a chamada da função fibbase(n, atual, anterior) passando os valores de *N* como termo da sequência a ser retornado, 0 como valor inicial do argumento atual e 1 como valor inicial do argumento anterior da função fibbase(n, atual, anterior). Veja que para o usuário da função fib2(n) basta apenas informar *N* e o cálculo será executado sem que seja necessário ao usuário fazer uso da função fibbase(n, atual, anterior) com todos os seus argumentos. Desta forma, a chamada da função fibbase(n, atual, anterior) é controlada pela função fib2(n) uma vez que precisa para sua operação além do argumento *N*, os argumentos 0 e 1, respectivamente, para os argumentos atual e anterior.

Após ser chamada, a função fibbase(n, atual, anterior) recebe os argumentos *N*, 0 e 1. Neste instante, a linha 2 verifica se o valor de *N* é igual a 0 e se for retornará como resposta o valor do argumento anterior com 0, caso *N* seja igual a 1, na linha 3 retornará como resposta o valor do argumento atual com 1 e, sendo na linha 4 o valor de *N* igual a 2, ocorrerá o retorno 1 gerado a partir da soma dos argumentos atual com anterior, respectivamente, neste momento, com o valores 1 e 0.

A linha 5 faz a chamada fibbase (n - 1, atual, anterior + atual), onde a cada recursão *N* é decrementado de 1, o argumento anterior é sobreposto pelo valor do argumento atual assumindo seu valor e o argumento atual assume o valor do argumento atual com o anterior, obtendo-se desta forma o próximo valor da sequência.

Veja um pequeno esquema de comportamento da execução da sequência de *Fibonacci* com o uso de recursividade de cauda e observe o que ocorre internamente na memória para efetuar o cálculo de fat2(5) que faz a chamada da função fibbase (5, 0, 1).

```
fibbase (n, anterior, atual) << fibbase (n - 1, atual, anterior + atual)
fibbase (5,  0,      1 ) << fibbase (  4,    1,       0 + 1   )
fibbase (4,  1,      1 ) << fibbase (  3,    1,       1 + 1   )
fibbase (3,  1,      2 ) << fibbase (  2,    2,       2 + 1   )
fibbase (2,  2,      3 ) << fibbase (  1,    3,       3 + 2   )
fibbase (1,  3,      5 ) << fibbase (  0,    5,       5 + 3   )
fibbase (0,  5,      8 )
resultado =  5 (anterior)
```

Com base na definição da função fib2(n), considere para seu uso as ações apontadas em seguida:

```
?| fib2(7)
>| 13
?| _

?| fib2(30)
>| 83204
?| _
```

Observe, em seguida, a definição da função fib2(n) com a linguagem Hope:

```
dec fibbase : num # num # num -> num;
--- fibbase (0, anterior, atual) <= anterior;
--- fibbase (1, anterior, atual) <= atual;
--- fibbase (2, anterior, atual) <= atual + anterior;
--- fibbase (n, anterior, atual) <= fibbase (n - 1, atual, anterior + atual);

dec fib2 : num -> num;
--- fib2 n <= fibbase (n, 0, 1);
```

Observe, em seguida, a definição da função fib2 n com a linguagem Haskell:

```
:{
fibbase :: (Integral a) => a -> a -> a -> a
fibbase 0 anterior atual = anterior
fibbase 1 anterior atual = atual
fibbase 2 anterior atual = atual + anterior
fibbase n anterior atual = fibbase (n - 1) atual (anterior + atual)

fib2 :: (Integral a) => a -> a
fib2 n = fibbase n 0 1
:}
```

A função fibbase(n, anterior, atual) ao receber o valor 0 para a variável *N* retorna o valor da variável *ANTERIOR* com valor 0, se receber o valor 1 para a variável *N* retorna o valor da variável *ATUAL* com valor 1, se receber o valor 2 para a variável *N* retorna a soma dos valores das variáveis *ANTERIOR* e *ATUAL* sendo 1. Valores de *N* acima de 1 serão calculados a partir da recursão de cauda.

```
fibbase (n, anterior, atual) << fibbase (n - 1, atual, anterior + atual)
```

Nessa operação, a chamada da função fibbase(n, anterior, atual) tem o valor do argumento *N* subtraído em 1, o valor do argumento *ATUAL* recebe o argumento *ANTERIOR* e o argumento *ATUAL* recebe o argumento *ANTERIOR + ATUAL* até que os desvios condicionais indiretos sejam verificados.

Como ampliação do conhecimento acerca de uso de recursividade de cauda considere como exemplo ilustrativo a obtenção do valor do máximo divisor comum de dois valores inteiros fornecidos a partir do algoritmo de Euclides. Observe o algoritmo de definição computacional para a operação indicado em seguida:

```
mdc (m, n) = n,                 se m = 0
           = mdc (n mod m, m), se n > 0
```

O resultado do cálculo do *mdc* de dois números inteiros é a obtenção do maior valor numérico inteiro que divide ambos os valores sem deixar resto. O algoritmo de Euclides prevê que o cálculo do *mdc* pode ser obtido recursivamente, usando o resto da divisão como entrada para o próximo passo do cálculo.

Veja a definição do código para o cálculo da função mdc(m, n) escrito em *português funcional*. Observe a indicação do retorno do valor *N*, caso o valor de *M* seja 0.

```
1: mdc (número, número) >> número
2: mdc (0, n) << n
3: mdc (m, n) << mdc (n mod m, m)
```

A linha 1 indica a recepção de dois valores numéricos e o retorno de um valor numérico como resposta da ação. De acordo com as regras matemáticas se o primeiro valor de um mdc for 0 o mdc será o segundo valor como mostra a linha 2. Caso contrário o cálculo do mdc é efetuado como mostra a linha 3.

Com base na definição da função mdc(m, n) considere para seu uso obter o resultado da operação mdc(1024, 12) especificado em seguida:

```
?| mdc(1024, 12)
>| 4
?| _
```

Observe, em seguida, a definição da função mdc(m, n) com a linguagem Hope:

```
dec mdc : num # num -> num;
--- mdc (0, n) <= n;
--- mdc (m, n) <= mdc (n mod m, m);
```

Observe, em seguida, a definição da função `mdc m n` com a linguagem Haskell:

```
:{
mdc :: (Integral a) => a -> a -> a
mdc 0 n = n
mdc m n = mdc (mod n m) m
:}
```

Recursividade de cauda para sua definição exige um cuidado tático mais assertivo. No entanto, proporciona melhor desempenho economizando muito recurso de memória.

3.2.3 SIMPLES VERSUS CAUDA

O uso de operações com recursividade é condição *sine qua non* na programação funcional pura. Essa estratégia operacional efetua repetições de ações sem o uso de laços iterativos com alto grau de elegância e abstração. No entanto, se mal aplicada causa um verdadeiro desastre à solução de problemas computacionais.

Como visto, não há na programação funcional pura uma maneira de realizar repetições de trechos de programas sem o uso das ações de recursividade. O que de fato leva o profissional de programação a "uma sinuca de bico". Aprender adequadamente a usar recursividade é fundamental para o desenvolvimento de funções e programas.

A recursividade simples se mostra relativamente eficiente para execuções de funções que chamam a si mesmas uma única vez por instância de execução. Seu consumo de memória apesar de sútil e lento pode ser fatal em um certo espaço de tempo, uma vez que não é possível perceber sua ação desastrosa imediatamente. O grande problema no uso dessa estratégia é que por falta de memória o programa poderá ser interrompido inesperadamente. Assim sendo, a recursão simples deve ser evitada, a menos que as ações realizadas sejam triviais e não careçam de grande recurso de memória.

A solução adequada para a programação funcional pura executar "laços" é efetivamente usar a recursão de cauda. Essa estratégia usa apenas uma única instância da pilha de operando por vez para sua ação sem sobrecarregá-la. O tempo de processamento de uma recursão simples é maior que o tempo de execução da recursão de cauda. Esse efeito se torna perceptível quando uma função recursiva chama mais de uma vez sua instância de ação como ocorre com o cálculo da série de *Fibonacci*.

Observe na Figura 3.3 os modelos gráficos de operação de duas funções recursivas usadas para se obter o resultado do cálculo do fatorial de um número natural qualquer. Atente para a disposição do comportamento da ação de recursão simples frente à ação de recursão de cauda.

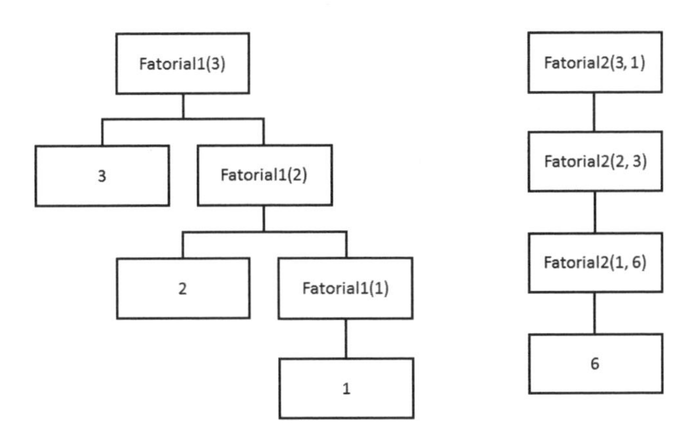

Figura 3.3 — Recursão simples versus de cauda.

A título de ilustração, considere as funções fatorial1(n) e fatorial2(n) indicadas na Figura 3.3 codificadas em *português funcional* que, respectivamente, utilizam as técnicas de recursão simples e de cauda.

RECURSIVIDADE SIMPLES	RECURSIVIDADE DE CAUDA
fatorial1 (número) >> número	fatorial2 (número, número) >> número
fatorial1 (0) << 1	fatorial2 (0, x) << x
fatorial1 (1) << 1	fatorial2 (n, x) << fatorial2 (n - 1, n * x)
fatorial1 (n) << n * fatorial1 (n - 1)	

Na recursão simples a expressão `fatorial1 (n) << n * fatorial1 (n - 1)` faz o processamento externo do valor de *N* com a multiplicação de `fatorial1 (n - 1)`. Esse efeito efetua naturalmente o empilhamento da multiplicação na memória, uma vez que acumula em *N* seu valor anterior (*N - 1*) até o aterramento. A multiplicação é a última ação a ser realizada antes do encerramento da função.

Na recursão de cauda, a expressão `fatorial2 (n, x) << fatorial2 (n - 1, n * x)` faz o processamento da multiplicação de *N* dentro do argumento da função `fatorial2 (n - 1, n * x)` com *N * X*. Como esse efeito operacional é executado dentro do argumento não ocorre o empilhamento sucessivo do valor sobre o valor, apenas ocorre sua atualização, ou seja, a multiplicação ocorre dentro do argumento da função `fatorial2(n)`, sendo então a função a última ação a ser realizada na pilha antes do encerramento da função.

O próximo capítulo fará uso de diversas ações de recursividade para proceder iterações sobre estruturas de listas. Esteja com sua atenção voltada a esses pontos.

3.3 FUNÇÕES LAMBDA (λ)

Anteriormente foram apontados, de forma breve, alguns detalhes sobre funções baseadas em cálculo lambda, que são sinalizadas com o símbolo "λ". No entanto, esse tema necessita ser visto com um pouco mais de profundidade mesmo que seja na esfera introdutória deste livro. O uso de funções lambda proporciona o chamado *lambda cálculo*. O lambda cálculo pode ser visto como "uma linguagem de programação abstrata onde funções podem ser combinadas para formar outras funções, de uma forma pura" (MOURA, 2019, p. 31). É uma maneira formal de representar computações.

Para a realização de lambda cálculo, as funções usadas são tratadas como funções de primeira classe, ou seja, funções que podem ser utilizadas como argumentos de outras funções como se fossem dados dessas funções. Para que uma função lambda possa executar determinado cálculo é necessário "dizer" como o cálculo deve ser realizado. Assim sendo, atente-se para os próximo detalhes apresentados.

Uma função lambda possui como característica o fato de ser uma forma de expressão sem nome, ou seja, uma função anônima que é definida para uso imediato. Uma função lambda não fica armazenada na memória como ocorre com as funções convencionais. Isso faz com que uma função anônima seja usada imediatamente após sua definição.

Como indicado, o modelo matemático que regimenta a formação de uma função lambda se baseia no algoritmo λx.(x), onde a função lambda "λ" recebe o argumento "x" e efetua "." a ação prevista na operação "(x)" gerando certo resultado. O argumento indicado após o símbolo "λ" se caracteriza por ser o identificador do argumento ou argumentos a serem fornecidos para uma função, e a expressão indicada após o símbolo de ponto "." é o corpo de definição da função.

Para uma demonstração matemática simples considere a definição da função identidade f(x) = x + 1 que representada na forma lambda é definida como λx.(x + 1) e apresenta os valores de dois conjuntos, sendo o conjunto domínio com o argumento *X* e o conjunto contradomínio com o resultado *X + 1*, sua imagem. No contexto de definição do lambda cálculo em *português funcional*, ter-se-á o código:

```
|x >>> x + 1
```

Uma vez que a definição de uma *função anônima* não é armazenada em memória, esta deve ser usada imediatamente a sua. Assim sendo, considerando obter um valor imagem 10 a partir do elemento 9 do conjunto domínio use a codificação:

```
|x >>> x + 1 $ 9
```

Veja que a função anônima (lambda) representada pelo símbolo cachimbo (|) indica a definição do argumento *X*, e é indicado após o símbolo cifrão ($) o valor de parâmetro 9 para o argumento *X* de |x e assim obter como resposta o retorno do valor 10.

A fim de visualizar a ação da definição da função lambda simples λx.(x + 1) considere os exemplos de ação, respectivamente, a partir do uso das linguagens Hope e Haskell.

```
(\x => x + 1) 9; [para uso em Hope]
(\x -> x + 1) 9  [para uso em Haskell]
```

Um exemplo um pouco mais complexo pode ser a definição da função λxy.(x + y) a partir da função identidade f(x, y) = x + y com a recepção de dois argumentos 1 e 9 a fim de obter o resultado 10.

```
|x, y >>> x + y $ 1, 9
```

A fim de visualizar a ação da definição da função lambda mais complexa λxy.(x + y) considere os exemplos de ação, respectivamente, a partir do uso das linguagens Hope e Haskell.

```
(\(x, y) => x + y) (1, 9); [para uso em Hope]
(\x y -> x + y) 1 9        [para uso em Haskell]
```

No entanto, é comum que funções lambda sejam representadas com um só parâmetro, pois todo cálculo lambda recebe apenas um só argumento. Por exemplo, a função λxy.(x + y) pode ser representada como λx.(λy.(x + y)), onde a função λx recebe como seu argumento a função λy que por sua vez recebe a soma dos argumentos *X* e *Y*, sendo definida em *português funcional*.

```
|x >>> |y >>> x + y $ 1, 9
```

A fim de visualizar a ação da definição da função lambda mais complexa λx.(λy.(x + y)) considere os exemplos de ação, respectivamente, a partir do uso das linguagens Hope e Haskell.

```
(\x => \y => x + y) (1) (9); [para uso em Hope]
(\x -> \y -> x + y) 1 9      [para uso em Haskell]
```

A partir da visão básica do que é e como pode ser usada uma função anônima para a execução de um lambda cálculo é pertinente conhecer e entender o que são *variáveis livres* e *variáveis ligadas*.

Variáveis livres em lambda cálculo se referem às variáveis indicadas à direita do operador "." que não estão referenciadas ao lado esquerdo do operador "." na forma de argumentos, ou seja, são livres as variáveis que não estão no alcance da abstração da função *λ*.

Variáveis ligadas em lambda cálculo se referem às variáveis indicadas à direita do operador "." que estão referenciadas ao lado esquerdo do operador "." na forma de argumentos, ou seja, são ligadas às variáveis que estão no alcance da abstração da função *λ*.

Por exemplo, observe a ocorrência de variáveis livres e ligadas nas expressões lambdas seguintes:

```
λx.(xy) ..... variáve(l/eis) livre(s) = y    | variáve(l/eis) ligada(s) = x
λx.(xyz) .... variáve(l/veis livre(s) = y, z | variáve(l/eis) ligada(s) = x
λxy.(xyz) ... variáve(l/veis livre(s) = z    | variáve(l/eis) ligada(s) = x, y
```

As variáveis ligadas por sua natureza se referem ao uso de variáveis locais definidas dentro do âmbito de operação de uma função anônima. Já as variáveis livres, caracterizam-se por serem entidades com escopo global definidas fora do âmbito de operação da função.

Para que a operação com variáveis livres em cálculo lambda seja possível, é importante que a variável livre seja externamente definida. No entanto, essa prática deve ser evitada dentro do escopo da programação funcional. Apenas como mero exemplo, considere a função λx.(x + y) e sua definição em *português funcional* para a apresentação do resultado 10.

```
?| var y = 1
?| _


?| |x >>> x + y $ 9
>| 10
?| _
```

Observe, em seguida, a definição da função anônima \x => x + y com a linguagem Hope e o resultado obtido a partir do uso de uma variável global.

```
dec y : num;
--- y <= 1;


(\x => x + y) 9;
10 : num
```

Observe, em seguida, a definição da função anônima \x -> x + y com a linguagem Haskell e o resultado obtido a partir do uso de uma variável global.

```
:{
y = 1
(\x -> x + 1) 9
10
:}
```

Em um contexto maior de aplicação, respeitando o uso de variáveis com definição imutável de valor, expressões lambda nas linguagens de programação funcionais são processadas com o uso de avaliação preguiçosa. Assim sendo, considere a função λx.(λy.x.x+y.y) que tem por finalidade apresentar o resultado do quadrado da soma de dois valores definidos como argumentos da função. Com base nos valores 2 e 4 observe como o processamento da operação é executado, adaptado de Moura (2019, p. 34):

```
1: (λxy.x.x+y.y) (2 5)

2: (λy.2.2+y.y) 5

3: (λy.4+y.y) 5

4: 4+5.5

5: 4+25

6: 29
```

Na linha 1 é estabelecida a função anônima e a definição dos argumentos *X* com o valor 2 e *Y* com o valor 4. Na sequência, na linha 2 usando a avaliação preguiçosa, pegue primeiro o argumento indicado mais à esquerda e aplique sua operação registrando o resultado da multiplicação de 2 por 2 como 4 na linha 3. Após o encerramento da ação entre as linhas 2 e 3 entra a operação da linha 4 que, de posse do valor 5, efetua sua multiplicação por ele mesmo e aponta a ação da linha 5 que gera na linha 6 o resultado da operação como 29.

Contextualizando a operação lambda anterior, veja a definição da função em *português funcional*:

```
|x, y >>> x * x + y * y $ 2, 5
```

A fim de visualizar a ação da definição da função lambda mais complexa (λxy.x.x+y.y), considere os exemplos de ação, respectivamente, a partir do uso das linguagens Hope e Haskell.

```
(\(x, y) => x * x + y * y) (2, 5); [para uso em Hope]

(\x y -> x * x + y * y) 2 5         [para uso em Haskell]
```

A definição e uso de lambda para a execução de cálculos computacionais a partir de funções anônimas é considerada, como aponta Moura (2019, p. 46) como sendo a menor linguagem de programação universal do mundo.

No próximo capítulo, com o tratamento de listas, funções anônimas serão particularmente usadas dando melhor visão de como este sutil recurso de programação pode ser aplicado e contextualizado.

> EXERCÍCIOS

Os exercícios seguintes devem ser codificados em *português funcional*. As codificações nas linguagens Hope e Haskell são opcionais.

1 > Elabore uma função chamada min(x, y) que receba como argumento o parâmetro que represente dois valores numéricos e apresente o menor valor entre os dois valores fornecidos.

2 > Elabore uma função chamada min3(x, y, z) que receba como argumento o parâmetro que represente três valores numéricos e apresente o menor valor entre os três valores fornecidos. Para essa ação faça o efeito de composição a partir da função min(x, y).

3 > Elabore uma função chamada somat(n) que receba como argumento o parâmetro de um valor numérico inteiro e apresente o resultado do somatório de 1 até o valor fornecido. Se fornecido o valor 5 a função deve apresentar o resultado 15 (para 1 + 2 + 3 + 4 + 5). Efetue a solução com o uso de recursividade simples a partir da definição de desvio condicional indireto.

4 > Elabore uma função chamada fat(n) que receba como argumento o parâmetro de um valor numérico inteiro e apresente o resultado do fatorial deste valor. Se fornecido o valor 5 a função deve apresentar o resultado 120 (para 1 * 2 * 3 * 4 * 5). Efetue a solução com o uso de recursividade simples a partir da definição de desvio condicional indireto.

5 > Elabore uma função chamada somat2(n) que receba como argumento o parâmetro de um valor numérico inteiro e apresente o resultado do somatório de 1 até o valor fornecido. Efetue a solução com o uso de recursividade simples a partir da definição de desvio condicional direto.

6 > Elabore uma função chamada fat2(n) que receba como argumento o parâmetro de um valor numérico inteiro e apresente o resultado do fatorial deste valor. Efetue a solução com o uso de recursividade simples a partir da definição de desvio condicional direto.

7 > Elabore uma função chamada fatduplo(n) que receba como argumento o parâmetro de um valor numérico inteiro e apresente o resultado do duplo fatorial ou fatorial duplo do valor fornecido. O duplo fatorial é o produto dos números de 1 até o número limite fornecido de 2 em 2. O fatorial duplo de 7 é 7 * 5 * 3 * 1 = 105. Use recursividade simples com desvio condicional indireto.

8 > Elabore uma função chamada fattriplo(n) que receba como argumento o parâmetro de um valor numérico inteiro e apresente o resultado do fatorial triplo do valor fornecido de 1 até o número limite fornecido saltando de 3 em 3. O fatorial triplo de 9 é 9 * 6 * 3 = 162. Use recursividade simples com desvio condicional indireto.

9 > Elabore uma função chamada somat3(n) que receba como argumento o parâmetro de um valor numérico inteiro e apresente o resultado do somatório de 1 até o valor fornecido. Efetue a

solução com o uso de recursividade de cauda a partir da definição de desvio condicional indireto.

10 > Elabore uma função chamada fat3(n) que receba como argumento o parâmetro de um valor numérico inteiro e apresente o resultado do fatorial deste valor. Efetue a solução com o uso de recursividade de cauda a partir da definição de desvio condicional indireto.

11 > Elabore uma função chamada intervp(m, n) que receba dois valores inteiros "m" e "n" e retorne o produto de todos os valores numéricos do intervalo especificado. Use recursividade simples com desvio condicional direto.

12 > Elabore uma função chamada intervs(m, n) que receba dois valores inteiros "m" e "n" e retorne o somatório de todos os valores numéricos do intervalo especificado. Use recursividade simples com desvio condicional direto.

13 > Elabore uma função chamada mult(x, y) que receba dois valores "x" e "y" e retorne a multiplicação desses valores obtida a partir da ação de recursividade simples com desvio condicional direto.

14 > Elabore uma função chamada potência_de_2(i) que receba um valor "i" como argumento, o qual representa o índice da potência, e apresenta o valor 2 elevado ao índice de potência "i". Se fornecido o valor de "i" como 1 a função deve retornar 2, caso contrário deve realizar o cálculo recursivo simples a partir de desvio condicional indireto.

```
2,                          se i = 1

2 * potencia_de_2 (n - 1), se n > 1
```

15 > Considerando o jogo "Torre de Hanói" escreva a função hanói(n) que apresente a quantidade de movimentos necessários para

realizar todas as jogadas com "n" discos. Por exemplo, se usados 3 discos serão necessários 7 movimentos. Use recursividade simples com desvio condicional indireto. Para a realização deste exercício considere a regra:

```
0,                      se n = 0
1,                      se n = 1
2 * hanói(n - 1) + 1,  se n > 1
```

16 > Desenvolva uma função recursiva chamada série(n) que calcule o n-ésimo termo da série definida por:

```
0,                      se n = 0
3,                      se n = 1
3 * série(n - 1) - 2,  se n > 1
```

17 > Elabore uma função chamada negativo(n) que receba como argumento um valor numérico natural positivo e retorne seu valor correspondente negativo. É sabido que para obter um valor negativo basta multiplicar o valor positivo por "-1". No entanto, este exercício não deve ser realizado por multiplicação, use subtração. Se o valor fornecido for negativo este deverá ser mantido como negativo.

18 > Dois números naturais são primos entre si, ou seja, são coprimos se o MDC (máximo divisor comum) entre eles for igual a 1. Assim sendo, defina uma função chamada coprimo(x, y) que retorne verdadeiro se os valores fornecidos forem coprimos, caso contrário a função deve retornar o resultado falso. Se fornecido os valores coprimo(13, 27) o resultado será verdadeiro, já os valores coprimo(13, 26) resulta em falso.

19 > Crie uma função mmc(x, y) para calcular o mínimo múltiplo comum de dois números inteiros. Se quiser operar mais valores a função poderá ser encadeada no estilo mmc(x, mmc(y, z)).

20 > Crie uma função sinal(x, y) que retorne o valor -1 se "x" for menor que "y", que retorne o valor 1 se "x" maior que "y" ou que retorne 0 se "x" for igual a "y".

21 > Elabore uma função chamada hms_tempo(h, m, s) para realizar a conversão das horas, minutos e segundos em um valor serial de tempo. Se fornecido os valores hms_tempo(09, 32, 50) deverá ser retornado o valor serial 34370. Dica: para gerar valor serial de tempo é necessário trazer a segundos os tempos das horas e dos segundos. A função deverá operar as horas entre 0-23, os minutos e segundos entre 0-59. Para qualquer valor fornecido fora da faixa aceitável a função deve retornar mensagem de erro indicando "algum dado fornecido está incorreto".

22 > Elabore uma função chamada tempo_hms(tmp) para realizar a conversão do valor serial de tempo em horas, minutos e segundos. Se fornecido o valor tempo_hms(34370) deverá ser retornado os valores 9, 32 e 50. A função deverá operar o tempo serial correspondente as faixas de 0-23 para as horas e 0-59 para os minutos e segundos. Para qualquer valor fornecido fora da faixa aceitável a função deve retornar mensagem de erro indicando "valor serial fornecido está incorreto".

23 > Elabore uma função chamada tempo_horário(começo, término) para realizar o cálculo da duração de tempo em horas, minutos e segundos entre certa hora de entrada e de saída. Se o valor do começo da contagem de tempo for maior que o valor de término a função deve retornar mensagem informando "início da contagem de tempo é maior que o término".

24 > Elabore uma função chamada binário(n) para realizar a apresentação de um valor numérico inteiro no formato binário. O resultado em binário deve ser armazenado em uma lista. Se executada a operação binário(10) deverá ser apresentado [1,0,1,0].

25 > Elabore uma função chamada `div84(n)` que retorna verdadeiro caso o valor "n" ao ser dividido por 8 tenha seu resto de divisão igual a 4.

26 > Elabore uma função chamada `divx(n, d, r)` que retorna verdadeiro caso o valor do dividendo "n" ao ser dividido pelo divisor "d" tenha seu resto da divisão igual a 4.

MANIPULAÇÃO DE CONJUNTOS

Este capítulo apresenta os principais detalhes da programação funcional com foco no uso de conjuntos. É demonstrado o uso de listas como conjuntos e são indicados diversos recursos para o gerenciamento dessa estrutura de dados, tais como: compreensão de listas, relações com conjuntos, processamento de sequências e suas relações.

4.1 LISTAS SÃO CONJUNTOS

Conjuntos nas linguagens de programação funcionais são uma categoria de estruturas de dados que podem ser considerados sequências de dados, assim como também ocorre na ciência matemática. As linguagens de programação, principalmente funcionais, podem referir-se a essas sequências com diversos nomes, como: lista (`list`), tupla (`tuple`) e/ou conjunto (`set`). Por vezes, as linguagens de programação podem até oferecer sequências de dados com outros nomes como, por exemplo, dicionários (`dictionaries`). A diferença entre esses nomes ocorre segundo a maneira como a sequência de dados é tratada na memória de um computador por meio de uma linguagem formal de programação. Para o contexto deste livro, basta considerar que os elementos de um conjunto, do ponto de vista matemático, são expressos na forma de listas e em alguns momentos na forma de tuplas.

Nas linguagens funcionais, normalmente, listas (`lists`) são delimitadas entre colchetes, tuplas (`tuples`) entre parênteses e conjuntos (`sets`) entre chaves. Nesta obra, listas, tuplas e conjuntos são sinônimos e terão o mesmo valor e peso conceitual, sendo tratados da mesma forma, uma vez que as diferenças operacionais dessas estruturas nas linguagens formais de programação são pequenas, sendo estudadas particularmente nessas linguagens. No âmbito deste livro, as limitações ou não dessas estruturas não afetam, em absoluto, sua representação e uso no código *`português funcional`*.

Uma lista (sequência ou conjunto de dados) é formada por uma coleção de elementos, neste contexto, numéricos encadeados, finitos, ordenados (não necessariamente classificados) linearmente e separados por vírgulas; onde cada elemento "conhece" sua posição e "sabe" qual é na lista a posição do próximo elemento, o que caracteriza ser uma lista do tipo ligada. O último elemento sempre aponta para uma posição vazia da lista indicando seu encerramento. O mesmo se aplica as tuplas.

A posição final de uma lista é definida com o indicativo [] que representa um valor chamado nada. Internamente na memória de um computador, uma lista é configurada como uma sequência de valores finalizada com o valor vazio (nada). O valor *nada* não é apresentado quando uma lista é indicada no terminal da linguagem, apesar do valor fazer parte da lista. As listas possuem quatro partes, a saber: a cabeça (`head`), a cauda (`tail`), o último (`last`) e o arranjo (`init`) como indicado na Figura 4.1.

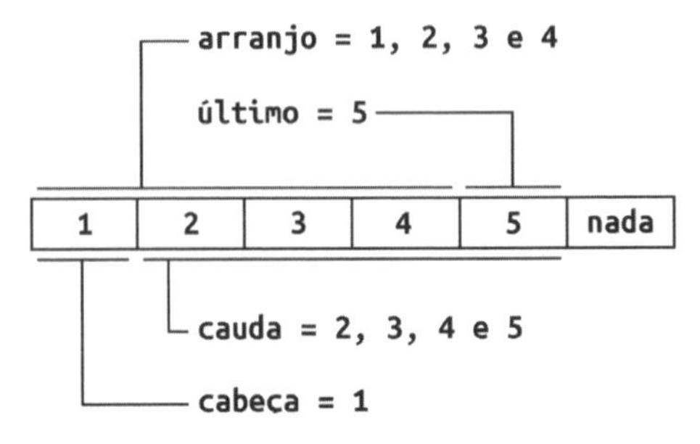

Figura 4.1 — Estrutura morfológica de uma lista.

A *cabeça* é identificada pelo primeiro elemento da lista posicionado à sua esquerda; a *cauda* é composta de todos os elementos da lista, excetuando-se a cabeça; o *último* elemento se caracteriza por ser o valor posicionado no extremo direito da lista e o *arranjo* é composto por todos os elementos da lista, excetuando-se o último elemento como comenta Lipovaca (2011, p. 11).

Uma lista, em algumas linguagens de programação funcionais, pode ser definida finitamente ou infinitamente. No contexto deste livro serão tratadas apenas listas finitas. Isto posto, cabe ressaltar que listas são estruturas de dados flexíveis, podendo ser como abordam (BIRD & WADLER 1988, p. 48) "desmontadas, reorganizadas e combinadas com outras listas para formar novas listas; listas de números podem ser somadas e multiplicadas e listas de listas podem ser concatenadas para formar uma longa lista".

Uma propriedade importante das listas é o fato de que todos os seus elementos devem ser configurados a partir do mesmo tipo de dado, não podendo uma lista possuir elementos de tipos diferentes na mesma estrutura, pois isso pode inviabilizar certas operações. Veja alguns estilos de representação comuns de listas apontadas por Bird & Wadler (1988, pp. 48–49):

```
[1, 2, 3]       :: lista número ou [número]
['A', 'l', 'o']:: lista caractere ou [caractere]
[[1, 2], [3]]   :: lista (lista número) ou [[número]]
[]              :: lista vazia
[(+),(-)]       :: lista (número) (número) -> número) ou [número -> número -> número]
```

A tentativa em definir uma lista como [1, 'A'] não é uma boa ideia, uma vez que esse tipo de ação gera em um ambiente computacional a ocorrência de erro. Esta estrutura é normalmente representada como dicionário e a ela poderão existir certas operações, mas não as operações que podem ser operacionalizadas sobre as listas.

A partir da compreensão de que listas são semelhantes a conjuntos, torna-se necessário apresentar a definição de funcionalidades que permitam gerenciar seus elementos. Assim sendo, são criadas funções operacionais básicas para obter os elementos da *cabeça*, da *cauda*, do *último* e do *arranjo* codificados em *português funcional*.

Observe a seguir a definição do código da função cabeça([x]) que obtém o elemento que está na primeira posição a esquerda da lista:

```
1: cabeça (lista número) >> número
2: cabeça (x :: xs) << x
```

Veja que o argumento de entrada referente à *lista número* indicado na linha 1 é representado na linha 2 pela definição (x :: xs) que se caracteriza por ser um *padrão de correspondência* para o acesso aos elementos de uma lista. Se a lista é composta pelos elementos [1, 2, 3, 4], o *X* equivale ao valor 1 e o *XS* equivale aos valores 2, 3 e 4.

O símbolo "::" (*operador de construção*) desempenha papel especial na operação, pois tem a finalidade de inserir um novo elemento em uma "nova" lista a partir da lista principal colocando o elemento na última posição vazia da "nova" lista.

O operador "::" efetua a junção de elementos a partir do padrão de correspondência (x :: xs), o qual equivale a definir uma ação de concatenação com a operação [x] # xs. A definição de lista com os símbolos "::" e "#" se diferem apesar de surtirem o mesmo efeito. Uma lista pode ser criada com a sequência de concatenação [1] # [2] # [3] ou com a sequência de construção 1 :: 2 :: 3 :: [] e gerar ao final a estrutura [1, 2, 3]. O uso do operador "::", mostra-se mais prático que o uso do operador "#" e, por essa razão, tem preferência no uso.

O uso do *padrão de correspondência* (x :: xs) é um estilo tradicional na programação funcional. Este padrão pode ser definido a partir de outros rótulos de identificação, como: (a :: x); (a :: ax); (a :: b) ou outra forma que se julgar adequada à situação em foco. Por ser o estilo (x :: xs) tradicional, este será utilizado na maior parte dos exemplos do livro.

Caso seja necessário acessar, por exemplo, o segundo elemento de uma lista, pode-se usar o padrão de correspondência (x1 :: x2 :: xs), em que *X1* é o primeiro elemento, *X2* é o segundo elemento e *XS* é a cauda formada pelos demais elementos, neste caso do terceiro elemento ao último. Assim sendo, para uma lista [1, 2, 3, 4], ter-se-á *X1* com valor 1, *X2* com valor 2 e *XS* com os valores 3 e 4, caso queira acessar o terceiro valor da lista basta usar o padrão de correspondência (x1 :: x2 :: x3 :: xs) e solicitar acesso ao elemento *X3*.

O uso de listas possibilita a detecção de três padrões, sendo:

- lista vazia com a indicação [];
- lista com um só elemento a partir da indicação (x :: []);
- lista contendo todos os elementos a partir de (x :: xs).

Para um rápido teste com a linguagem Hope informe no *prompt* de comando do ambiente a sequência: 1::2::[3,4]; e acione a tecla <Enter> para ver a apresentação da lista [1, 2, 3, 4]. No ambiente da linguagem Haskell, informe a sequência: 1:2:[3,4] e acione a tecla <Enter> para ver a apresentação da lista [1,2,3,4].

O operador *cons* é representado na linguagem Hope pelos símbolos "::" (forma padrão em *português funcional*) e na linguagem Haskell pelo símbolo ":", tendo por finalidade a capacidade de construir listas, elemento a elemento da esquerda para a direita a partir de uma posição de lista vazia, segundo o estilo [x1, x2, x3, ..., xs].

A partir da definição de uma lista contendo os elementos [1, 2, 3], a função cabeça([x]) fará a seguinte execução:

```
cabeça([1, 2, 3])       | cabeça (lista número) >> número
cabeça([1, 2, 3]) << 1 | cabeça (x :: xs) << x
```

Com base na definição da função cabeça([x]), considere para seu uso as ações operacionais apontadas, em seguida, com o uso das listas [1, 2, 3, 4, 5] e [5, 3, 1]:

```
?| cabeça([1, 2, 3, 4, 5])
>| 1
?| _

?| cabeça([5, 3, 1])
>| 5
?| _
```

Observe, em seguida, a definição da função cabeça([x]) com a linguagem Hope para a obtenção do primeiro elemento de uma lista:

```
dec cabeca : list num -> num;
--- cabeca (x :: xs) <= x;
```

Note, em seguida, a definição da função cabeça [x] com a linguagem Haskell para a obtenção do primeiro elemento de uma lista:

```
:{
cabeca :: (Num a) => [a] -> a
cabeca (x : xs) = x
:}
```

A seguir, veja a definição do código da função cauda([x]) que obtém os elementos que se encontram na cauda da lista, ou seja, do segundo até o último elemento.

```
1: cauda (lista número) >> lista número
2: cauda (x :: xs) << xs
```

Note que na linha 1 há a indicação como protótipo da função, o recebimento de uma lista e o retorno de outra lista como saída. Na linha 2 há a expressão informando que a parte *XS* da lista é retornada a partir da correspondência de padrão (x :: xs), ou seja, são retornados todos os elementos exceto o primeiro valor.

A partir da definição de uma lista contendo os elementos [1, 2, 3] a função cauda([x]) fará a seguinte execução:

```
cauda([1, 2, 3])            | cauda (lista número) >> lista número
cauda([1, 2, 3]) << [2, 3] | cauda (x :: xs) << xs
```

Com base na definição da função cauda([x]), considere para seu uso as ações operacionais apontadas, em seguida, com o uso das listas [1, 2, 3, 4, 5] e [5, 3, 1]:

```
?| cauda([1, 2, 3, 4, 5])
>| [2, 3, 4, 5]
?| _

?| cauda([5, 3, 1])
>| [3, 1]
?| _
```

Note, em seguida, a definição da função cauda([x]) com a linguagem Hope para a obtenção do primeiro elemento de uma lista:

```
dec cauda : list num -> list num;
--- cauda (x :: xs) <= xs;
```

Veja, em seguida, a definição da função cauda [x] com a linguagem Haskell para a obtenção do primeiro elemento de uma lista:

```
:{
cauda :: (Num a) => [a] -> [a]
cauda (x : xs) = xs
:}
```

Observe, a seguir, a definição do código da função último([x]) que obtém o elemento que está na última posição, à direita, da lista.

```
1: último (lista número) >> número
2: último ([x]) << x
3: último (x :: xs) << último (xs)
```

A linha 1 indica a partir do protótipo da função o recebimento de uma lista de valores e o retorno de apenas um valor. Na linha 2, a decisão condicional indireta determina que havendo um só valor na lista, como apontado na correspondência de padrão ([x]), este será retornado, ocorrendo esta ação quando a lista tiver um só valor ou quando a ação de recursão da linha 3 chegar ao último elemento da lista. O indicativo [x] se refere à lista com os elementos existentes.

Na linha 3 é determinado pela correspondência de padrão (x :: xs) o acesso à lista fornecida que será operacionalizada a partir da operação recursiva último (xs). A cada recursão, a operação último (xs) despreza automaticamente o primeiro elemento da lista, neste caso *X*, e pega a cauda da lista restante até chegar ao último elemento que detectado pela linha 2 faz seu retorno. Note que a cada etapa da recursão um elemento da lista é desprezado até que se chegue ao último, em que, não havendo mais elementos, é então retornado.

A partir da definição de uma lista contendo os elementos [1, 2, 3] a função último([x]) fará a seguinte execução:

```
último([1, 2, 3])             | último (lista número) >> número
último([1, 2, 3]) << [2, 3]   | último (x :: xs) << último (xs)
último([2, 3]) << [3]         | último (x :: xs) << último (xs)
último([3]) << 3              | último ([x]) << x
```

Com base na definição da função último([x]), considere para seu uso as ações operacionais apontadas, em seguida, com uso das listas [1, 2, 3, 4, 5] e [5, 3, 1]:

```
?| último([1, 2, 3, 4, 5])
>| 5
?| _

?| último([5, 3, 1])
>| 1
?| _
```

Veja, em seguida, a definição da função último([x]) com a linguagem Hope para a obtenção do primeiro elemento de uma lista:

```
dec ultimo : list num -> num;
--- ultimo [x] <= x;
--- ultimo (x :: xs) <= ultimo xs;
```

Note, em seguida, a definição da função último [x] com a linguagem Haskell para a obtenção do primeiro elemento de uma lista:

```
:{
ultimo :: (Num a) => [a] -> a
ultimo [x] = x
ultimo (x : xs) = ultimo xs
:}
```

Observe na sequência a definição do código da função arranjo([x]) que obtém todos os elementos da lista, excetuando-se o último elemento.

```
1: arranjo (lista número) >> lista número
2: arranjo ([x]) << []
3: arranjo (x :: xs) << x :: arranjo (xs)
```

A função arranjo([x]) efetua a criação da lista resultante de elementos a partir da expressão arranjo (x :: xs) << x :: arranjo (xs) na linha 3 que monta recursivamente uma lista a partir de cada primeiro elemento *X* da lista até chegar em arranjo (xs). Quando o último elemento da lista é detectado pela instrução arranjo [x] << [] da linha 2, ocorrerá a inserção de um valor vazio na lista resultante, encerrando-a. Desta forma, o último elemento da lista principal não fará parte da lista resultante.

A partir da definição de uma lista contendo os elementos [1, 2, 3] a função arranjo([x]) fará a seguinte execução:

```
arranjo ([1, 2, 3])                   | arranjo (lista número) >> lista número
arranjo ([1, 2, 3]) << [1] :: [2, 3] | arranjo (x :: xs) << x :: arranjo (xs)
arranjo ([2, 3]) << [1, 2] :: [3]    | arranjo (x :: xs) << x :: arranjo (xs)
arranjo ([3]) << [1, 2] :: []        | arranjo ([x]) << []
```

Com base na definição da função arranjo([x]), considere para seu uso as ações operacionais apontadas, em seguida, com uso das listas [1, 2, 3, 4, 5] e [5, 3, 1]:

```
?| arranjo([1, 2, 3, 4, 5])
>| [1, 2, 3, 4]
?| _

?| último([5, 3, 1])
>| [5, 3]
?| _
```

Observe, em seguida, a definição da função arranjo([x]) com a linguagem Hope para a obtenção do primeiro elemento de uma lista:

```
dec arranjo : list num -> list num;
--- arranjo [x] <= [];
--- arranjo (x :: xs) <= x :: arranjo xs;
```

Note, em seguida, a definição da função arranjo [x] com a linguagem Haskell para a obtenção do primeiro elemento de uma lista:

```
:{
arranjo :: (Num a) => [a] -> [a]
arranjo [x] = []
arranjo (x : xs) = x : arranjo xs
:}
```

As funções cabeça([x]), arranjo([x]), cauda([x]) e último([x]) formam o conjunto mínimo essencial de operações preliminares para a manipulação de listas, sendo obviamente necessário criar outras operações essenciais ao tratamento de listas.

A partir dessa visão inicial é importante ter em mente três passos básicos necessários para a definição de funções mais complexas (principalmente, com uso de recursividade):

- pense na forma do protótipo da função (assinatura) e o que ela precisa ter para fazer;
- defina para a correspondência de padrão o caso básico de ação que a função deve executar;
- estabeleça a expressão de caso indutivo que efetua a operação desejada da função.

Das funções anteriores, particularmente arranjo([x]) e último([x]), para operacionalizarem suas ações utilizam a técnica de recursividade e assim ser possível percorrer iterativamente todos os elementos da lista da primeira até a última posição. A maior parte das funções que operam sobre listas lançam uso de recursividade.

A fim de contextualizar esses pontos considere a definição da função somar([x]) que apresenta a soma (sum) dos elementos existentes em certa lista. Note que, a partir da definição de uma lista, será obtido como resposta da operação um único valor (a soma dos elementos). Desta forma, o protótipo da função deve considerar a definição de um nome, de uma lista fornecida como argumento de entrada e a definição de um valor de saída.

```
somar (lista número) >> número
```

Após definir o protótipo da função com os detalhes operacionais de entrada e saída, passa-se a definição das ações de processamento a partir do estabelecimento da correspondência de padrão para o caso básico de operação da função.

```
somar ([]) << 0
```

O caso básico definido como correspondência de padrão mínima verifica o encerramento da recursão e prevê que quando se tiver uma lista vazia "[]" deverá ser definido com a lista, o valor 0. Este caso também é executado caso uma lista vazia seja fornecida como argumento da função.

Após definir o caso básico da correspondência de padrão, faz-se a definição do passo indutivo da operação recursiva, neste caso, a ação de soma percorrerá iterativamente os elementos da lista que não seja ou esteja vazia.

```
somar (x :: xs) << x + somar (xs)
```

Uma lista não vazia possui o elemento cabeça (primeiro elemento) e o restante dos elementos, excetuando-se o primeiro chamado de cauda. Como comentado, uma lista, segundo a correspondência de padrão, é definida como (x :: xs) em que *X* é a cabeça e *XS* é a cauda. Assim, observe os detalhes do código da função:

```
1: somar (lista número) >> número

2: somar ([]) << 0

3: somar (x :: xs) << x + somar (xs)
```

A soma é realizada pela expressão recursiva x + somar (xs) em que *X* é somado paulatinamente aos elementos de *XS* de acordo com a sequência de operação para a lista [1, 2, 3, 4, 5] até que o último elemento da lista seja encontrado.

```
          somar [1, 2, 3, 4, 5] (linha 1)        | somar (lista número) >> número
1 +          somar [2, 3, 4, 5] (linha 3) << 1   | somar (x :: xs) << x + somar (xs)
1 + 2 +         somar [3, 4, 5] (linha 3) << 3   | somar (x :: xs) << x + somar (xs)
1 + 2 + 3 +        somar [4, 5] (linha 3) << 6   | somar (x :: xs) << x + somar (xs)
1 + 2 + 3 + 4 +       somar [5] (linha 3) << 10  | somar (x :: xs) << x + somar (xs)
1 + 2 + 3 + 4 + 5 + somar [] (linha 3) << 15     | somar (x :: xs) << x + somar (xs)
1 + 2 + 3 + 4 + 5 + 0         (linha 2) << 15    | somar ([]) << 0
```

Com base na definição da função somar([x]), considere para seu uso as ações operacionais apontadas, em seguida, com o uso das listas [1, 2, 3, 4, 5] e [5, 3, 1]:

```
?| somar([1, 2, 3, 4, 5])
>| 15
?| _

?| somar([5, 3, 1])
>| 9
?| _
```

Note, em seguida, a definição da função somar([x]) com a linguagem Hope para a obtenção do primeiro elemento de uma lista:

```
dec somar : list num -> num;
--- somar [] <= 0;
--- somar (x :: xs) <= x + somar xs;
```

Veja, em seguida, a definição da função somar [x] com a linguagem Haskell para a obtenção do primeiro elemento de uma lista:

```
:{
somar :: (Num a) => [a] -> a
somar [] = 0
somar (x : xs) = x + somar xs
:}
```

Listas (sequências ou conjuntos) podem ser criadas com uma série de elementos definidos dentro de certa faixa de valores (range). Assim sendo, será definida a função faixa(i, f, p) que criará uma série de valores crescentes a partir da definição de um valor inicial *I* até um valor final *F* com incremento de passo *P* que dará à função a possibilidade desta criar faixas de valores com passos diferentes de 1. Assim sendo, considere o código escrito em seguida:

```
1: faixa (número, número, número) >> lista número
2: faixa (i, f, p) << se i > f
                      então []
                      senão i :: faixa (i + p, f, p)
```

A função faixa(i, f, p) verifica na linha 2 se o valor de *I* é maior que o valor de *F*, sendo essa condição verdadeira, a função retorna uma lista vazia ou finaliza a lista em construção. Caso contrário, uma lista resultante é definida a partir da recursão i :: faixa (i + p, f, p), em que o valor *I* é acrescido com o valor *P* a cada iteração até o limite de *F* de *P* em *P* para gerar a lista desejada.

Assim sendo, considere a definição de uma lista com a chamada da função faixa(1, 3, 1), onde *I* está com 1, *F* está com 3 e *P* está com 1. Após a formatação da estrutura da função executada pela linha 1, a linha 2 passa a executar as seguintes ações desconsiderando o trecho de correspondência de padrão:

```
faixa(1, 3, 1)
faixa(1, 3, 1) << se 1 > 3 então [] senão 1 :: faixa (1 + 1, 3, 1)
faixa(2, 3, 1) << se 2 > 3 então [] senão 1 :: 2 :: faixa (2 + 1, 3, 1)
```

```
faixa(3, 3, 1) << se 3 > 3 então [] senão 1 :: 2 :: 3 :: faixa (3 + 1, 3, 1)
faixa(4, 3, 1) << se 4 > 3 então [] 1 :: 2 :: 3 :: []
```

Observe que o passo 1 (referente à linha 2 do código da função) do algoritmo estabelece o formato do padrão da operação. A partir do passo 2 é definido a substituição das variáveis pelos valores e é indicado o que acontece a cada ação iterativa.

Veja que no passo 3 o valor da variável *I* é atualizado, repetindo-se este mesmo efeito nas linhas 4 e 5, até o momento em que o valor da variável *I* é maior que o valor da variável *F*, com valor 3 e o valor vazio [] é colocado ao final da lista encerrando a criação da lista.

Durante a execução dos passos 2, 3, 4 e 5, a cada recursão a lista é criada separadamente com a sequência "`1 ::`" na linha 2, "`1 :: 2`" na linha 3, "`1 :: 2 :: 3`" na linha 4 e por fim "`1 :: 2 :: 3 :: []`" com a execução da linha 5.

Com base na definição da função `faixa(i, f, p)` considere para seu uso as ações operacionais seguintes:

```
?| faixa(3, 6, 1)
>| [3, 4, 5, 6]
?| _

?| faixa(1, 5, 1)
>| [1, 2, 3, 4, 5]
?| _

?| faixa(3, 1, 1)
>| []
?| _

?| faixa(1, 9, 2)
>| [1, 3, 5, 7, 9]
?| _
```

Veja, em seguida, a definição da função faixa(i, f, p) com a linguagem Hope para a obtenção do primeiro elemento de uma lista:

```
dec faixa : num # num # num -> list num;
--- faixa (i, f, p) <= if i > f
                       then []
                       else i :: faixa (i + p, f, p);
```

Note, em seguida, a definição da função faixa i f p com a linguagem Haskell para a obtenção do primeiro elemento de uma lista:

```
:{
faixa :: (Ord a, Num a) => a -> a -> a -> [a]
faixa i f p = if i > f
              then []
              else i : faixa (i + p) f p
:}
```

Como indicado, a função faixa(i, f, p) cria listas crescentes. No entanto, pode ser necessário ter que trabalhar listas com séries decrescentes e, neste caso, pode-se fazer uso de outra funcionalidade a ser implementada chamada oposto (reverse).

A função oposto([x]) tem por finalidade apresentar uma lista em sentido contrário a sua definição original, não importando a ordem da disposição dos elementos definidos. Assim, atente para o código a seguir escrito em *português funcional* acerca da função:

```
1: oposto (lista número) >> lista número
2: oposto ([]) << []
3: oposto (x :: xs) << oposto (xs) # [x]
```

A linha 3 efetua recursivamente a inversão dos elementos da lista principal gerando uma lista resultante. A lista resultante é composta a partir da obtenção recursiva da cauda da lista por *XS*, isso faz com que o valor *X* seja descartado e concatenado com o símbolo # ao final da cauda (xs) # [x] a partir da ação executada a cada recursão. Quando a lista principal ficar vazia, como indicado na linha 2, o código da função é encerrado.

A partir da definição da lista [1, 2, 3, 4] a função oposto([x]) fará a seguinte execução:

```
oposto([1, 2, 3, 4])                         | oposto (lista número) >> lista número
oposto([1, 2, 3, 4]) << [2, 3, 4] # [1]      | oposto (x :: xs) << oposto (xs) # [x]
oposto([2, 3, 4])    << [3, 4] # [2, 1]      | oposto (x :: xs) << oposto (xs) # [x]
oposto([3, 4])       << [4] # [3, 2, 1]      | oposto (x :: xs) << oposto (xs) # [x]
oposto([4])          << [] # [4, 3, 2, 1]    | oposto (x :: xs) << oposto (xs) # [x]
oposto([])           << [4, 3, 2, 1] # []    | oposto ([]) << []
```

Com base na definição da função oposto([x]) considere os exemplos de uso seguintes:

```
?| oposto(faixa(3, 6, 1))
>| [6, 5, 4, 3]
?| _

?| oposto([1, 2, 3, 4, 5])
>| [5, 4, 3, 2, 1]
?| _
```

Veja, em seguida, a definição da função oposto([x]) com a linguagem Hope para a obtenção do primeiro elemento de uma lista:

```
dec oposto : list num -> list num;
--- oposto [] <= [];
--- oposto (x :: xs) <= oposto xs <> [x];
```

Note, em seguida, a definição da função oposto [x] com a linguagem Haskell para a obtenção do primeiro elemento de uma lista:

```
:{
oposto :: (Num a) => [a] -> [a]
oposto [] = []
oposto (x : xs) = oposto xs ++ [x]
:}
```

A partir das funcionalidades `faixa(i, f, p)` e `oposto([x])` é possível definir séries de valores crescentes e decrescentes na forma de listas.

4.2 COMPREENSÃO BÁSICA DE LISTAS

A ciência da computação, em grande parte de sua aplicação, faz uso direto e indireto de diversos recursos da ciência matemática e fornece para a ciência matemática elementos operacionais para seu auxílio. Apesar dessa simbiose natural, a ciência da computação se utiliza de definições matemáticas que muitas vezes estão ou são distantes da nomenclatura usada na ciência matemática, sendo necessário proceder adaptações na escrita das expressões matemáticas.

O paradigma declarativo funcional é um dos modelos de desenvolvimento de programas que melhor se adapta à estrutura da linguagem matemática, mas mesmo assim possui características que devem ser adaptadas para que se possa atender às diversas necessidades.

Operações com conjuntos são escritas a partir da notação matemática chamada *conjuntos por compreensão* ou *conjuntos por descrição*. Na forma computacional, esta mesma operação é conhecida por *compreensão de listas*. Esta notação tem por finalidade expressar as características comuns de um conjunto a partir de seus elementos da forma mais simples possível. Por exemplo, tendo-se um conjunto chamado "A" formado pelos valores numéricos naturais pares entre 1 e 20, poderia este ser descrito em notação de *conjuntos por compreensão*, como:

```
A = { x | x é um número par entre 1 e 20 }
```

Onde, *A* é o conjunto de *X*, de modo que (ou tal que) *X* é um número par entre 1 e 20. O símbolo "|" cachimbo (pipe) tem como significado o termo "*de modo que*" ou "*tal que*" e o indicativo *X* representa, tão somente, cada um dos valores numéricos pertencentes ao conjunto *A*.

O conjunto *A* pode ser representado de forma extensa, e neste caso seria dito que o conjunto está grafado segundo a notação de *conjuntos por extensão*, sendo então representado como:

```
A = {2, 4, 6, 8, 10, 12, 14, 16, 18, 20}
```

Dentro do contexto computacional o estilo de notação *conjuntos por compreensão* pode ser representado de forma básica e simplista a partir da notação *compreensão de listas* seguindo o estilo adaptado de Bird & Wadler (1988, p. 50):

```
[ corpo | qualificador ]
```

Em que, "corpo" denota uma expressão arbitrária representada por uma variável ou expressão aritmética e "qualificador" sendo uma expressão geradora de certa ação ou mesmo um valor booleano, podendo, inclusive, ser representado por uma lista de qualificadores separados por vírgula.

Partindo-se do pressuposto em estabelecer a apresentação de um conjunto formado por valores numéricos naturais pares entre 1 e 20, representado computacionalmente pela notação de *compreensão de listas* em que [x | x << [1...20], par x], tem-se como resultado da compreensão a sequência numérica [2, 4, 6, 8, 10, 12, 14, 16, 18, 20].

A notação na forma de *compreensão de listas* tem como *corpo* o trecho "[x |" e como *qualificador* o trecho "x << [1...20], par x]", podendo da forma que está estabelecida ser diretamente usada em certas linguagens de programação funcionais que obviamente deem suporte a este estilo. Desta forma, é possível (dependendo da linguagem em uso) obter diversas respostas, a partir de algumas definições semelhantes à forma seguinte:

```
[ x | x << [1...20], par x ] ........: [2, 4, 6, 8, 10, 12, 14, 16, 18, 20]
```

No entanto, não se tem a garantia de que as linguagens de programação funcionais existentes ou que venham a existir possuam mecanismos para tratar a ação de *compreensão de listas* de forma similar à notação matemática *conjuntos por compreensão*. Para deixar a solução genérica, partindo-se do fato de que a linguagem *português funcional* não possui tal recurso, é apresentada, a seguir, uma versão de função chamada complista(conjunto, qualificador) que fará de forma simplista e limitada a aplicação da notação *compreensão de listas* em certo conjunto a partir de certa condição definida como qualificador da operação.

```
1: complista (lista número, |número >> lógico|) >> lista número
2: complista ([], qualificador) << []
3: complista (x :: conjunto, qualificador) <<
     se qualificador x
     então x :: complista (conjunto, qualificador)
     senão complista (conjunto, qualificador)
```

O protótipo da função na linha 1 indica a definição de dois argumentos de entrada e uma lista de saída. O primeiro argumento de entrada lista número segue um estilo conhecido para a representação da variável *CONJUNTO*, mas o segundo argumento, representado pela variável *QUALIFICADOR* é formado por uma ação adicional entre os símbolos cachimbo que indica de forma suplementar ser um argumento especial que utiliza uma função que, por sua vez, usará um argumento do tipo número e retornará uma resposta do tipo lógico.

O argumento conjunto poderá ser definido de forma explícita ao estilo [1, 2, 3] ou implícita com o uso das funções faixa(i, f, p) e oposto([x]) e o argumento qualificador é representado pela indicação de uso de função |número >> lógico|.

A linha 2 indica que, se passado um conjunto vazio como lista ou o conjunto em operação tornar-se vazio, será retornado um valor vazio. Enquanto o conjunto tiver elementos, a operação recursiva de compreensão será aplicada iterativamente como indicada na linha 3.

A ação condicional se qualificador x na linha 3, sendo verdadeira, fará recursivamente a execução do trecho de código x :: complista (conjunto, qualificador) em que cada valor válido, segundo a condição estabelecida, será definido em uma lista resultante. Caso contrário o iterador de posição da lista, lembrando ser uma lista ligada, é movimentado para a próxima posição por meio da ação complista (conjunto, qualificador).

A operação complista(faixa(1, 20, 1), | x >>> par(x)) dentro do contexto do código em *português funcional* deve retornar como resultado a lista [2, 4, 6, 8, 10, 12, 14, 16, 18, 20].

A partir da definição da lista [1, 2, 3, 4] a função complista(conjunto, qualificador) faz a execução:

```
complista([1, 2, 3, 4], | x >>> par(x))

complista([1, 2, 3, 4], | 1 >>> par(1)) = não faz nada, vai para o próximo

complista([1, 2, 3, 4], | 2 >>> par(2)) = [2]

complista([1, 2, 3, 4], | 3 >>> par(3)) = não faz nada, vai para o próximo

complista([1, 2, 3, 4], | 4 >>> par(4)) = [2, 4]
```

Com base na definição da função complista(conjunto, qualificador), considere para seu uso a lista [1, 2, 3] a seguir:

Considerando a apresentação dos valores pares das listas faixa(1, 20, 1) e [1, 2, 3, 4], a partir da função complista(conjunto, qualificador) exemplificadas em seguida:

```
?| complista(faixa(1, 20, 1), | x >>> par(x))

>| [2, 4, 6, 8, 10, 12, 14, 16, 18, 20]

?| _
```

```
?| complista([1, 2, 3, 4], | x >>> par(x))
>| [2, 4]
?| _
?| _
```

Veja, em seguida, a definição da função complista(conjunto, qualificador) com a linguagem Hope para a obtenção do primeiro elemento de uma lista:

```
dec complista : list num # (num -> truval) -> list num;
--- complista ([], qualificador) <= [];
--- complista (x :: conjunto, qualificador) <=
      if qualificador x
      then x :: complista (conjunto, qualificador)
      else complista (conjunto, qualificador);
```

A execução da função complista(conjunto, qualificador) na linguagem Hope pode ser definida a partir da instrução "complista(faixa(1,20,1), \ x => par(x));".

Note, em seguida, a definição da função complista conjunto qualificador com a linguagem Haskell para a obtenção do primeiro elemento de uma lista:

```
:{
complista :: (Num a) => [a] -> (a -> Bool) -> [a]
complista [] qualificador = []
complista (x : conjunto) qualificador =
  if qualificador x
  then x : complista conjunto qualificador
  else complista conjunto qualificador
:}
```

A execução da função complista conjunto qualificador na linguagem Hope pode ser definida a partir da instrução "complista (faixa 1 20 1) (par)".

Resolvida a compreensão de lista anterior, já é possível obter algumas extrações de dados baseados em conjuntos. No entanto, não é possível até o momento resolver compreensões de listas mais elaboradas como mostradas em seguida:

```
[ x * 2 | x << [1...5] ] ...........: [2, 4, 6, 8, 10]
[ x ^ 3 | x << [4...10, 2] ] ........: [64, 216, 512, 1000]
```

Como a linguagem *português funcional* não possui esses recursos, é necessário desenvolvê-los. Veja a seguir, respectivamente, as funções listapot(n, [x]) e listamul(n, [x]) para o cálculo de potenciação e multiplicação de elementos de listas como conjuntos.

```
1: listamul (número, lista número) >> lista número
2: listamul (_, []) << []
3: listamul (n, x :: xs) << (x * n) :: listamul (n, xs)
```

```
1: listapot (número, lista número) >> lista número
2: listapot (_, []) << []
3: listapot n (x :: xs) << (x ^ n) :: listapot (n, xs)
```

Tanto a função listapot(n, [x]) como a listamul(n, [x]) estão usando na linha 2 a definição do símbolo "_" (underline). Esse símbolo é usado como curinga para representar qualquer valor a ser usado, ou seja, um valor que não tem importância direta ao contexto. É como fazer uso de uma variável anônima.

A linha 3 de cada uma das funções usa respectivamente, na indicação da cabeça da lista a definição de uma operação matemática (mult * x) e (x ^ índice) para definir o valor transformado da "nova" lista.

A partir da definição da lista [1, 2, 3], a função listamul(n, [x]) fará a seguinte execução:

```
listamul(2, [1, 2, 3])                       | listamul (número, lista número) >> lista número
listamul(2, [1, 2, 3]) << (2 * 1) :: [2, 3]  | listamul (n, x :: xs) << (x * n) :: listamul (n, xs)
listamul(2, [2, 3]) << [2] :: (2 * 2) :: [3] | listamul (n, x :: xs) << (x * n) :: listamul (n, xs)
listamul(2, [3]) << [2, 4] :: (2 * 3) :: []  | listamul (n, x :: xs) << (x * n) :: listamul (n, xs)
listamul(2, []) << [2, 4, 6] :: []           | listamul (_, []) << []
```

Com base na definição da função listamul(n, [x]), considere para seu uso as listas [2, 3, 4] e faixa(1, 5, 1) a seguir:

```
?| listamul(2, [2, 3, 4])
>| [4, 6, 8]
?| _

?| listamul(2, faixa(1, 5, 1))
>| [2, 4, 6, 8, 10]
?| _
```

A partir da definição da lista [1, 2, 3], a função listapot(n, [x]) fará a seguinte execução:

```
listapot(2, [1, 2, 3])                       | listapot (número, lista número) >> lista número
listapot(2, [1, 2, 3]) << (1 ^ 2) :: [2, 3]  | listapot (n, x :: xs) << (x ^ n) :: listapot (n, xs)
listapot(2, [2, 3]) << [1] :: (2 ^ 2) :: [3] | listapot (n, x :: xs) << (x ^ n) :: listapot (n, xs)
listapot(2, [3]) << [1, 4] :: (3 ^ 2) :: []  | listapot (n, x :: xs) << (x ^ n) :: listapot (n, xs)
listapot(2, []) << [1, 4, 9] :: []           | listapot (_, [] << []
```

A partir deste ponto, julgando-se que você que acompanha este texto adquiriu os conhecimentos básicos necessários de compreensão para uso da programação funcional, não será mais descrita com o mesmo nível de detalhamento a execução passo a passo das próximas funções. Isso não impede que você faça este exercício em uma folha de papel.

Com base na definição da função listapot(n, [x]), considere para seu uso as listas [2, 3, 4] e faixa(1, 5, 1) a seguir:

```
?| listapot(2, [2, 3, 4])
>| [4, 9, 16]
?| _

?| listapot(2, faixa(1, 5, 1))
>| [1, 4, 9, 16, 25]
?| _
```

Veja, em seguida, as definições das funções listamul(n, [x]) e listapot(n, [x]) com a linguagem Hope:

```
dec listamul : num # list num -> list num;
--- listamul (_, []) <= [];
--- listamul (n, x :: xs) <= n * x :: listamul (n, xs);

dec listapot: num # list num -> list num;
--- listapot (_, []) <= [];
--- listapot (n, x :: xs) <= pow (x, n) :: listapot (n, xs);
```

Veja, em seguida, as definições das funções listamul(n, [x]) e listapot(n, [x]) com a linguagem Haskell:

```
:{
listamul :: (Num a) => a -> [a] -> [a]
listamul _ [] = [];
listamul n (x : xs) = (n * x) : listamul n xs

listapot :: (Floating a) => a -> [a] -> [a]
listapot _ [] = [];
listapot n (x : xs) = (x ** n) : listapot n xs
:}
```

A partir da definição das funções listapot(n, [x]) e listamul(n, [x]), é possível realizar ações de *compreensão de lista* mais elaboradas. Assim sendo, observe as definições seguintes:

```
[ x ^ 2 | x << [1...10], ímpar x ] .....: [1, 9, 25, 49, 81]
[ x ^ 2 | x << [1...10], par x ] .......: [4, 16, 36, 64, 100]
[ x * 2 | x << [1...10, 3], par x ] ....: [2, 8, 14, 20]
[ x * 1 | x << [4...15, 3], ímpar x ] ..: [7, 13]
```

Observe os exemplos para uso com a linguagem *português funcional*:

```
complista(listapot(2, faixa(1, 10, 1)), | x >>> ímpar(x)) ...: [1, 9, 25, 49, 81]
complista(listapot(2, faixa(1, 10, 1)), | x >>> par(x)) .....: [4, 16, 36, 64, 100]
complista(listamul(2, faixa(1, 10, 3)), | x >>> par(x)) .....: [2, 8, 14, 20]
complista(listamul(1, faixa(4, 15, 3)), | x >>> ímpar(x)) ...: [7, 13]
```

Observe os exemplos para uso com a linguagem Hope:

```
complista(listapot(2, faixa(1, 10, 1)), \x => impar(x)); ....: [1, 9, 25, 49, 81]
complista(listapot(2, faixa(1, 10, 1)), \x => par(x)); ......: [4, 16, 36, 64, 100]
complista(listamul(2, faixa(1, 10, 3)), \x => par(x)); ......: [2, 8, 14, 20]
complista(listamul(1, faixa(4, 15, 3)), \x => impar(x)); ....: [7, 13]
```

Observe os exemplos para uso com a linguagem Haskell:

```
complista (listapot 2 (faixa 1 10 1)) (impar) ...............: [1,9,25,49,81]
complista (listapot 2 (faixa 1 10 1)) (par) .................: [4,16,36,64,100]
complista (listamul 2 (faixa 1 10 3)) (par) .................: [2,8,14,20]
complista (listamul 1 (faixa 4 15 3)) (impar) ...............: [7,13]
```

Com o auxílio das funções par(n) e ímpar(n) é possível gerar algumas compreensões de listas. No entanto, tais recursos podem ser muito limitados ao concentrar apenas a obtenção de valores como múltiplos de 2.

Para aumentar o poder de computação e permitir outras aplicações, considere uma função chamada múltiplo(n, m) que indica se um valor *N* é ou não múltiplo de um valor *M*. Considere o código seguinte em *português funcional*.

```
1: múltiplo (número, número) >> lógico
2: múltiplo (n, m) << se n mod m = 0 então .verdadeiro. senão .falso.
```

Veja que para saber se um valor numérico *N* é múltiplo de um valor numérico *M* basta efetuar a divisão de *N* por *M* com quociente inteiro e verificar se o resto da divisão (o *mod*) é igual a 0. Sendo a condição verdadeira, o valor *N* é múltiplo do valor *M*. Atente-se para esse detalhe na composição da linha 2.

Com base na definição da função múltiplo(n, m), considere para seu uso as operações a seguir:

```
?| múltiplo(15, 3)
>| .verdadeiro.
?| _

?| múltiplo(15, 4)
>| .falso.
?| _

?| múltiplo(15, 5)
>| .verdadeiro.
?| _
```

Note, em seguida, a definição da função múltiplo(n, m) com a linguagem Hope:

```
dec multiplo : num # num -> truval;
--- multiplo (n, m) <= if n mod m = 0 then true else false;
```

Veja, em seguida, a definição da função múltiplo n m com a linguagem Haskell:

```
:{
multiplo :: Int -> Int -> Bool
multiplo n m = if mod n m == 0 then True else False
:}
```

A função múltiplo(n, m) possui comportamento operacional mais vantajoso que o oferecido pelas funções par(n) e impar(n), pois abre um leque maior de possibilidades na verificação numérica. Por exemplo, pode ser usada para gerar uma lista com os valores de um determinado divisor.

```
divisor n = [ d | d << [1...20], n mod d = 0 ]
```

Veja, em seguida, a função divisor(n) codificada em *português funcional* que permite mostrar todos os divisores de um número informado.

```
1: divisor (número) >> lista número
2: divisor (n) << complista (faixa (1, n, 1), | d >>> multiplo (n, d))
```

Veja que na linha 2 a obtenção dos divisores de um valor numérico ocorre a partir do uso da função de compreensão complista(conjunto, qualificador) com a definição de uma lista com os valores de 1 até o limite fornecido como divisor *N*, além do uso da função múltiplo(n, m) para validar se cada elemento da lista gerada é um divisor do múltiplo informado.

Com base na definição da função divisor(n) considere para seu uso a operação a seguir:

```
?| divisor(10)
>| [1, 2, 5, 10]
?| _
```

Veja, em seguida, a definição da função divisor([x]) com a linguagem Hope:

```
dec divisor : num -> list num;
--- divisor n <= complista (faixa (1, n, 1), \ d => multiplo (n, d));
```

Note, em seguida, a definição da função divisor [x] com a linguagem Haskell:

```
:{
divisor :: Int -> [Int]
divisor n = complista (faixa 1 n 1) (multiplo n)
:}
```

Com a definição de uma função que consegue obter os divisores de certo valor é possível escrever outras funções, que por exemplo, mostrem uma lista com valores primos como é indicado por Bird & Wadler (1988, pp. 51–52).

Antes de definir a função checa_primo(n) que retornará verdadeiro, se o valor informado for primo e falso, caso o valor informado não seja primo é necessário criar a função de apoio tamanho([x]) que retorna o tamanho de uma lista. Assim sendo, veja os códigos das duas funções em *português funcional*:

```
1: tamanho (lista número) >> número
2: tamanho ([]) << 0
3: tamanho (x :: xs) << 1 + tamanho (xs)
```

```
1: checa_primo (número) >> lógico
2: checa_primo (1) << .falso.
3: checa_primo (2) << .verdadeiro.
4: checa_primo (n) <<
     se (tamanho (complista (faixa (2, n - 1, 1)), | d >>> multiplo (n, d)) > 0)
     então .falso.
     senão .verdadeiro.
```

A função tamanho([x]) tem como finalidade retornar a quantidade de elementos que estão dentro de uma lista na forma de conjunto.

A função checa_primo(n) verifica se dado valor é ou não primo, sendo por sua natureza uma função do tipo lógica. A linha 2 da função determina que se fornecido o valor 1 este não é primo, mas na linha 3, se for fornecido o valor 2, este é primo. Na linha 4, para saber se um valor numérico maior que 2 é primo, aplique o uso da técnica de compreensão de lista criando uma lista variando de 2 até o valor anterior ao limite indicado de modo que este resultado seja menor ou igual a 0. Se o resultado da compreensão da lista for maior que 0 o valor fornecido como limite não é primo.

Com base na definição da função checa_primo(n) considere para seu uso as operações a seguir:

```
?| checa_primo(1)
>| .falso.
?| _

?| checa_primo(2)
>| .verdadeiro.
?| _

?| checa_primo(3)
>| .verdadeiro.
?| _

?| checa_primo(4)
>| .false.
?| _

?| checa_primo(5)
>| .verdadeiro.
?| _
```

Veja, em seguida, a definição da função checa_primo([x]) com a linguagem Hope:

```
dec tamanho : list num -> num;
--- tamanho [] <= 0;
--- tamanho (x :: xs) <= 1 + tamanho xs;

dec checa_primo : num -> truval;
--- checa_primo 1 <= false;
--- checa_primo 2 <= true;
--- checa_primo n <=
      if tamanho (complista (faixa (2, n - 1, 1), \ d => multiplo (n, d))) > 0
      then false
      else true;
```

Note, em seguida, a definição da função checa_primo [x] com a linguagem Haskell:

```
:{
tamanho :: (Num a) => [a] -> Int
tamanho [] = 0
tamanho (x : xs) = 1 + tamanho xs

checa_primo :: Int -> Bool
checa_primo 1 = False
checa_primo 2 = True
checa_primo n =
  if (tamanho (complista (faixa 2 (n - 1) 1) (multiplo n)) > 0)
  then False
  else True
:}
```

A partir das funções checa_primo(n) e complista(conjunto, qualificador) é possível gerar listas com valores primos. Veja a seguir o código em *português funcional* para a definição da função lprimos(n) que mostra uma lista de valores primos limitado ao valor *N* informado:

```
1: lprimos (número) >> lista número
2: lprimos (número) << complista (faixa (1, n, 1), | x >>> checa_primo (x))
```

Para gerar uma lista de valores primos, a função lprimos(n), em sua linha 2, efetua a compreensão de uma lista aplicando a validação da condição com o uso da função checa_primo(n).

Com base na definição da função lprimos(n), considere para seu uso as operações a seguir:

```
?| lprimos(30)
>| [2, 3, 5, 7, 11, 13, 17, 19, 23, 29]
?| _
```

Veja, em seguida, a definição da função lprimos([x]) com a linguagem Hope:

```
dec lprimos : num -> list num;
--- lprimos n <= complista (faixa (1, n, 1), \ x => checa_primo x);
```

Note, em seguida, a definição da função lprimos [x] com a linguagem Haskell:

```
:{
lprimos :: Int -> [Int]
lprimos n = complista (faixa 1 n 1) (checa_primo)
:}
```

A partir das funções apresentadas neste tópico e outras que podem ser desenvolvidas é possível criar uma infinidade de operações.

4.3 OPERAÇÕES E RELAÇÕES COM CONJUNTOS

As operações com conjuntos são ações que podem ser realizadas sobre os elementos que os compõe. No estudo da teoria de conjuntos são previstas três típicas operações, sendo: união (`union`), intersecção (`intersection`) e diferença (`difference`). Além dessas operações, pode-se considerar as ações de relação entre conjuntos de igualdade (`equality`) e inclusão (`subset`).

A realização de operações e a definição de relações entre conjuntos para serem executadas em computadores necessitam ser programadas. Essas tarefas tendem a ter um alto grau de dificuldade quando definidas com o paradigma imperativo, se comparadas com o paradigma declarativo.

A seguir são apresentadas funções que permitem realizar as operações de união, intersecção, diferença, igualdade e inclusão.

4.3.1 UNIÃO

A *união* de conjuntos pode ser realizada, com restrições, por meio do operador concatenação (#). No entanto, essa ação será produzida com uso de algumas funções auxiliares que permitirão melhor controle da ação de união. Em uma ação de união se ambos os conjuntos são vazios o retorno será um conjunto vazio. Caso um dos conjuntos seja vazio, o retorno será exatamente o conjunto que contém elementos. Se os conjuntos possuírem, não importa a ordem, os mesmos elementos será retornado apenas um dos conjuntos.

Para realizar a operação de união é necessária a definição de três funções auxiliares: uma função que realize a junção dos elementos de duas listas em uma só lista; uma função que elimine a existência de valores repetidos de uma lista e uma função que permita classificar os elementos de uma lista. Se os conjuntos tiverem elementos repetidos o conjunto resultante terá apenas um dos elementos.

Assim sendo, observe os detalhes no código *português funcional* para a função junção([a], [b]) que tem por finalidade juntar os elementos de duas listas em uma só, mantendo todos os elementos existentes sem se preocupar se os elementos são ou não repetidos.

```
1: junção (lista número, lista número) >> lista número
2: junção (a, []) << a
3: junção ([], b) << b
4: junção (a, b) << se cabeça (a) < cabeça (b)
                    então cabeça (a) :: junção (cauda (a), b)
                    senão cabeça (b) :: junção (a, cauda (b))
```

A função junção([a], [b]) a partir dos argumentos *A* e *B* realiza a junção de todos os elementos dos conjuntos em um só conjunto. Caso seja fornecido para qualquer argumento um conjunto vazio, como indicado nas linhas 2 e 3, será retornado apenas o conjunto que tenha algum conteúdo. Se ambos os conjuntos fornecidos forem vazios, o retorno será automaticamente um conjunto vazio. Se os conjuntos possuírem elementos iguais ou diferentes, estes farão parte do resultado da junção.

A linha 4 possui a ação que efetua a junção e classificação preliminar crescente dos elementos das duas listas passadas. Se o elemento da cabeça da lista *A* é menor que o elemento da cabeça da lista *B* a junção é realizada a partir da expressão cabeça (a) :: junção (cauda (a), b), caso contrário a junção será realizada com a expressão cabeça (b) :: junção (a, cauda (b)).

Com base na definição da função junção([a], [b]) considere para seu uso as operações a seguir:

```
?| junção([1,2,3], [4,5,6])
>| [1, 2, 3, 4, 5, 6]
?| _
```

```
?| junção([1,2,3], [1,2,4])
>| [1, 1, 2, 2, 3, 4]
?| _

?| junção([], [4,5,6])
>| [4, 5, 6]
?| _

?| junção([1,2,3], [])
>| [1, 2, 3]
?| _

?| junção([], [])
>| []
?| _
```

Veja, em seguida, a definição da função junção([a], [b]) com a linguagem Hope:

```
dec juncao : list num # list num -> list num;
--- juncao (a, []) <= a;
--- juncao ([], b) <= b;
--- juncao (a, b) <= if cabeca a < cabeca b
                     then cabeca a :: juncao (cauda a, b)
                     else cabeca b :: juncao (a, cauda b);
```

Note, em seguida, a definição da função junção [a] [b] com a linguagem Haskell:

```
:{
juncao :: (Ord a, Num a) => [a] -> [a] -> [a]
juncao a [] = a
juncao [] b = b
```

```
juncao a b = if (cabeca a) < (cabeca b)
             then (cabeca a) : juncao (cauda a) b
             else (cabeca b) : juncao a (cauda b)
:}
```

Fica então perceptível que a junção não possui nenhum critério especial além de deixar os elementos do conjunto resultante previamente classificados. Note que os valores repetidos dentro da lista resultante são mantidos. Para retirar as repetições de elementos é definida a função único([x]) que para ser usada necessita do apoio de outra função que a auxilie na remoção de elementos que estejam repetidos. Essa função auxiliar deve verificar se certa lista contém determinado elemento. Para tanto, considere a função possui([x], n). Observe o código definido em *português funcional*.

```
1: possui (lista número, número) >> lógico
2: possui ([], _) << .falso.
3: possui (x :: xs, n) << se x = n
                          então .verdadeiro.
                          senão possui (xs, n)
```

A linha 1 do protótipo da função estabelece a entrada de um conjunto e um valor numérico a ser pesquisado devolvendo um resultado verdadeiro se o conjunto possui o valor ou falso caso o valor não esteja no conjunto.

Na linha 2 é verificada se a lista que representa o conjunto é vazia e sendo, ocorre o retorno do resultado como falso. Na linha 3 a definição da correspondência de padrão (x :: xs, n) especifica a definição da lista e do valor numérico. Na sequência, o valor atual *X* da lista é comparado com o valor *N*, se esses valores forem iguais ocorre o retorno do resultado verdadeiro e não sendo, a recursão pega o próximo valor da lista.

Com base na definição da função possui([x], n) considere para seu uso as operações a seguir:

```
?| possui([1,2,3], 3)
>| .verdadeiro.
?| _

?| possui([1,2,3], 4)
>| .falso.
?| _
```

Note, em seguida, a definição da função possui([x], n) com a linguagem Hope:

```
dec possui : list num # num -> truval;
--- possui ([], _) <= false;
--- possui (x :: xs, n) <= if x = n
                            then true
                            else possui (xs, n);
```

Veja, em seguida, a definição da função possui [x] n com a linguagem Haskell:

```
:{
possui :: (Eq a, Num a) => [a] -> a -> Bool
possui [] _ = False
possui (x : xs) n = if x == n
                    then True
                    else possui xs n
:}
```

A partir da definição da função de apoio possui([x], n) é possível definir a função único([x]) que evita a ocorrência de valores repetidos dentro de um conjunto (`uniq`). Para tanto, observe o código definido em *português funcional*:

```
1: único (lista número) >> lista número
2: único ([]) << []
```

```
3: único (x :: xs) << se possui(xs, x)
                     então único (xs)
                     senão x :: único (xs)
```

Na linha 1 é especificada a recepção de uma lista como conjunto e o retorno de outra lista como resultado da remoção de elementos repetidos. A linha 2 é usada exclusivamente para retornar uma lista vazia se uma lista vazia for fornecida como argumento.

Na linha 3 é verificado se a lista contém o valor da posição atual e, sendo, esta condição verdadeira à recursão da função reaplica a cauda da lista para buscar nova repetição de conteúdo. Se a condição for falsa, ocorre a criação elemento a elemento da lista resultante.

Com base na definição da função único([x]) considere para seu uso as operações a seguir:

```
?| único([1,1,1,1,1,2,2,2,2,3])
>| [1, 2, 3]
?| _
```

Note, em seguida, a definição da função único([x]) com a linguagem Hope:

```
dec unico : list num -> list num;
--- unico [] <= [];
--- unico (x :: xs) <= if possui (xs, x)
                       then unico xs
                       else x :: unico xs;
```

Veja, em seguida, a definição da função único [x] com a linguagem Haskell:

```
:{
possui :: (Eq a, Num a) => [a] -> a -> Bool
possui [] _ = False
```

```
possui (x : xs) n = if x == n
                    then True
                    else possui xs n
:}
```

Resolvida a questão da junção e da retirada de elementos repetidos, é importante definir a função que efetua a classificação dos elementos de uma lista.

Existem diversos métodos de classificação de elementos em estruturas de dados como listas. Dentre os métodos existentes é aqui apresentado um estilo simples que tem por finalidade deixar a lista, neste caso, numérica em ordem crescente.

Para efetivar a classificação dos elementos de uma lista são apresentadas duas funções: uma para efetuar a inserção pré-classificada de um elemento em uma lista e outra que usa a função de inserção para realizar a classificação geral dos elementos dessa lista.

A função insira(n, [x]) efetua a inserção pré-classificada de um elemento a uma lista. Para tanto, observe o código definido em *português funcional*:

```
1: insira (número, lista número) >> lista número
2: insira (n, []) << [n]
3: insira (n, x :: xs) << se n <= x
                          então n :: x :: xs
                          senão x :: insira (n, xs)
```

Na linha 1 é determinada a recepção de um elemento numérico (primeiro argumento) a ser inserido de forma pré-classificada em uma lista (segundo número). A linha 2 determina a inserção de um elemento em uma lista vazia e também será usado para encerrar a ação de recursividade da função.

Na linha 3 é verificado se o elemento fornecido no primeiro argumento da função é menor ou igual ao elemento que está na cabeça da lista. Se a condição for verdadeira, o elemento do primeiro argumento é colocado na cabeça da lista, mas se falsa este elemento é colocado de forma pré-classificada na cauda da lista podendo ser colocado na última posição da cauda se for maior que qualquer elemento da lista ou colocado à frente do maior valor encontrado da esquerda para à direita.

Com base na definição da função insira(n, [x]) considere para seu uso as operações a seguir:

```
?| insira(9, [7,8,6,4,5,3])
>| [7, 8, 6, 4, 5, 3, 9]
?| _
```

```
?| insira(2, [7,8,6,4,5,3])
>| [2, 7, 8, 6, 4, 5, 3]
?| _
```

Veja, em seguida, a definição da função insira(n, [x]) com a linguagem Hope:

```
dec insira : num # list num -> list num;
--- insira (n, []) <= [n];
--- insira (n, x :: xs) <= if n =< x
                           then n :: x :: xs
                           else x :: insira (n, xs);
```

Note, em seguida, a definição da função insira n [x] com a linguagem Haskell:

```
:{
insira :: (Ord a, Num a) => a -> [a] -> [a]
insira n [] = [n]
insira n (x : xs) = if n <= x
```

```
                    then n : x : xs
                    else x : insira n xs
:}
```

A partir da definição da função insira(n, [x]), passa-se a definição da função classifica([x]). Para tanto, observe o código definido em *português funcional*:

```
1: classifica (lista número) >> lista número
2: classifica ([]) << []
3: classifica (x :: xs) << insira (x, classifica (xs))
```

Na linha 1 é determinada a recepção de uma lista numérica que terá seus elementos classificados. A linha 2 determina o retorno de uma lista vazia se a lista passada no argumento estiver vazia ou encerrar a ação de recursividade da função quando atingir o final da lista.

Na linha 3 é realizada a inserção do elemento que está na cabeça da lista antes da cauda da lista. Essa ação garante que cada primeiro elemento da lista restante seja definido em uma nova lista em ordem crescente.

Com base na definição da função classifica([x]) considere para seu uso as operações a seguir:

```
?| classifica([9,8,7,6,5,0,4,2,1,3])
>| [0, 1, 2, 3, 4, 5, 6, 7, 8, 9]
?| _
```

Veja, em seguida, a definição da função classifica([x]) com a linguagem Hope:

```
dec classifica : list num -> list num;
--- classifica [] <= [];
--- classifica (x :: xs) <= insira (x, classifica xs);
```

Note, em seguida, a definição da função classifica [x] com a linguagem Haskell:

```
:{
classifica :: (Ord a, Num a) => [a] -> [a]
classifica [] = []
classifica (x : xs) = insira x (classifica xs)
:}
```

A partir do preparo de todas as funções auxiliares anteriores, pode-se definir a função *união* entre os conjuntos *A* e *B*, lembrando que uma união é formada por todos os elementos pertencentes ao conjunto *A* ou ao conjunto *B*, ou seja, A U B = {x / x ϵ A ou x ϵ B}. Observe o código definido em *português funcional*:

```
1: união (lista número, lista número) >> lista número
2: união (a, b) << classifica (único (junção (a, b)))
```

A linha 1 estabelece o protótipo de uso da função e a linha 2 processa a junção dos dois conjuntos, retira os elementos que sejam repetidos e os classifica de forma crescente.

Com base na definição da função união([a], [b]) considere para seu uso as operações a seguir:

```
?| união([1,2,3], [4,5,6])
>| [1, 2, 3, 4, 5, 6]
?| _

?| união([1,2,3], [1,2,4])
>| [1, 2, 3, 4]
?| _

?| união([], [4,5,6])
```

```
>| [4, 5, 6]
?| _

?| união([1,2,3], [])
>| [1, 2, 3]
?| _

?| união([], [])
>| []
?| _
```

Veja, em seguida, a definição da função união([a], [b]) com a linguagem Hope:

```
dec uniao : list num # list num -> list num;
--- uniao (a, b) <= classifica (unico (juncao (a, b)));
```

Note, em seguida, a definição da função união [a] [b] com a linguagem Haskell:

```
:{
uniao :: (Eq a, Ord a, Num a) => [a] -> [a] -> [a]
uniao a b = classifica (unico (juncao a b))
:}
```

Caso deseje uma união sem ser classificada basta retirar a função classifica([x]) da função união([a], [b]) ou criar uma segunda versão da função.

4.3.2 INTERSECÇÃO

A *intersecção* de conjuntos tem por finalidade identificar os elementos comuns existentes entre os conjuntos *A* e *B*, ou seja, $A \cap B = \{x / x \in A \text{ e } x \in B\}$.

A função intersecção([a], [b]) para sua operação necessita do auxílio de uma função que deve verificar se determinado elemento é membro (se pertence a) de certo conjunto. Assim, considere a definição da função membro(a, [x]) codificada em *português funcional* que estabelece uma relação de pertinência:

```
1: membro (número, lista número) >> lógico
2: membro (_, []) << .falso.
3: membro (a, x :: xs) << se a = x então .verdadeiro. senão membro (a, xs)
```

Veja que a função membro(a, [x]) em sua linha 3 pega o valor *A* e aplica-o sobre a lista x :: xs. Nesse ponto é verificado se o valor de *A* é igual a *X* (dentro da lista), sendo igual o retorno é verdadeiro e não sendo, ocorre a aplicação do valor *A* sobre a cauda da lista. Essa função será útil também nas ações da função diferença([a], [b]) apresentada mais à frente neste capítulo.

Com base na definição da função membro(a, [x]) considere para seu uso as operações a seguir:

```
?| membro(2, [1,2,3])
>| .verdadeiro.
?| _

?| membro(6, [1,2,3])
>| .falso.
?| _
```

Veja, em seguida, a definição da função membro(a, [x]) com a linguagem Hope:

```
dec membro: num # list num -> truval;
--- membro (_, []) <= false;
--- membro (a, x :: xs) <= if a = x then true else membro (a, xs);
```

Note, em seguida, a definição da função membro a [x] com a linguagem Haskell:

```
:{
membro :: (Eq a, Num a) => a -> [a] -> Bool
membro _ [] = False
membro a (x : xs) = if a == x then True else membro a xs
:}
```

A partir da definição da função membro(a, [x]) é possível definir a função intersecção([a], [b]). Observe o código escrito em *português funcional*:

```
1: intersecção (lista número, lista número) >> lista número
2: intersecção (a, []) << []
3: intersecção ([], b) << []
4: intersecção (a, x :: b) << se membro (x, a)
                               então x :: intersecção (a, b)
                               senão intersecção (a, b)
```

A função intersecção([a], [b]) recebe como argumento a indicação dos conjuntos *A* e *B*. A variável *X* indicada na linha 4 representa os elementos existentes nos conjuntos em uso. Se na ação de intersecção um dos conjuntos nas linhas 2 e 3 for indicado como vazio, ocorre o retorno de um conjunto vazio. A linha 4 estabelece recursivamente a ação de intersecção entre os conjuntos indicados. Note que é verificado se o valor *X* está contido no conjunto *A*, sendo a condição verdadeira o valor é colocado no conjunto de saída e nova recursão é processada. Caso o valor *X* não esteja contido no conjunto *A* é solicitada nova recursão intersecção(a, b) para verificar se há mais elementos que estejam nos conjuntos *A* e *B*.

Com base na definição da função intersecção(a, b) considere para seu uso as operações a seguir:

```
?| intersecção([1,2,3,4], [3,4,5,6])
>| [3, 4]
?| _
```

Note, em seguida, a definição da função interseccao(a, b) com a linguagem Hope:

```
dec interseccao : list num # list num -> list num;
--- interseccao (a, []) <= [];
--- interseccao ([], b) <= [];
--- interseccao (a, x :: b) <= if membro (x, a)
                               then x :: interseccao (a, b)
                               else interseccao (a, b);
```

Veja, em seguida, a definição da função interseccao a b com a linguagem Haskell:

```
:{
interseccao :: (Eq a, Num a) => [a] -> [a] -> [a]
interseccao a [] = []
interseccao [] b = []
interseccao a (x : b) = if membro x a
                        then x : interseccao a b
                        else interseccao a b
:}
```

4.3.3 DIFERENÇA

A *diferença* de conjuntos se refere aos valores que estão no primeiro conjunto e não aparecem no segundo conjunto. Essa funcionalidade também faz uso do auxílio da função membro(a, [x]). Observe o código definido em *português funcional*:

```
1: diferença (lista número, lista número) >> lista número
2: diferença (a, []) << a
```

```
3: diferença ([], b) << []
4: diferença (a :: x, b) << se membro (a, b)
                            então diferença (x, b)
                            senão a :: diferença (x, b)
```

A diferença entre os conjuntos *A* e *B* é formada pelos elementos que pertencem ao conjunto *A*, mas não pertencem ao conjunto *B*. Havendo valores iguais entre os conjuntos estes são desconsiderados. Não são considerados outros valores que existam no conjunto *B*, ou seja, $A - B = \{x / x \in A \text{ e } x \notin B\}$.

A função `diferença([a], [b])` considera os conjuntos *A* e *B*. A variável *X* representa os valores existentes nos conjuntos em uso. Se na diferença o conjunto *B* estiver vazio, como indicado na linha 2, o resultado será os elementos do conjunto *A*, mas estando o conjunto *A* vazio, mesmo tendo o conjunto *B* elementos, o resultado será um conjunto vazio, como indicado na linha 3. A linha 4 estabelece recursivamente a ação de diferença entre os conjuntos indicados. Note que é verificado se o elemento do conjunto *A* é pertencente também ao conjunto *B* a partir da ação `membro(a, b)`, sendo esta condição verdadeira, a ação recursiva da diferença é realizada entre o valor *X* e o conjunto *B* retirando *X* de *B*. Quando a condição não for verdadeira, o valor avaliado é colocado no conjunto *A*.

Com base na definição da função `diferença([a], [b])` considere para seu uso as operações a seguir:

```
?| diferenca([1,2,3,4,5], [1,2,6,7])
>| [3, 4, 5]
?| _
```

Note, em seguida, a definição da função `diferença([a], [b])` com a linguagem Hope:

```
dec diferenca : list num # list num -> list num;
--- diferenca (a, []) <= a;
```

```
--- diferenca ([], b) <= [];
--- diferenca (a :: x, b) <= if membro (a, b)
                             then diferenca (x, b)
                             else a :: diferenca (x, b);
```

Veja, em seguida, a definição da função `diferença [a] [b]` com a linguagem Haskell:

```
:{
diferenca :: (Eq a, Num a) => [a] -> [a] -> [a]
diferenca a [] = a
diferenca [] b = []
diferenca (a : x) b = if membro a b
                      then diferenca x b
                      else a : diferenca x b
:}
```

4.3.4 IGUALDADE

A *igualdade* de conjuntos ocorre como verdadeira quando dois conjuntos possuem os mesmos valores, ou seja, são conjuntos idênticos (não necessariamente com elementos na mesma ordem de disposição). Havendo um valor diferente em um dos conjuntos o retorno da operação é falso. Neste caso, são verdadeiras as relações `[1, 2, 3] = [1, 2, 3]` e `[1, 2, 3] = [3, 2, 1]`.

É importante salientar que a definição matemática para a igualdade não pode ser diretamente aplicada em um computador, pois na computação a relação `[1, 2, 3] = [1, 2, 3]` é verdadeira, mas a relação `[1, 2, 3] = [3, 2, 1]` é falsa, uma vez que a máquina avalia os valores baseada na posição de referência em que cada valor se encontra dentro da lista e não no valor em si. Isso obriga realizar um certo ajuste, classificando os elementos dos conjuntos antes de verificar se os conjuntos são idênticos.

Observe o código definido em *português funcional* para a função igualdade([a], [b]) que faz uso do auxílio da função classifica([a]):

```
1: igualdade (lista número, lista número) >> lógico
2: igualdade (a, []) << .falso.
3: igualdade ([], b) << .falso.
4: igualdade (a :: as, b :: bs) <<
     se classifica (a :: as) = classifica (b :: bs)
     então .verdadeiro.
     senão .falso.
```

A função igualdade([a], [b]) retorna verdadeiro para dois conjuntos informados se estes possuírem os mesmos valores não importando a ordem interna desses elementos nos conjuntos, por essa razão é necessário proceder a ação de classificação com a linha 4. Se indicados conjuntos vazios o retorno será falso como sinalizados nas linhas 2 e 3.

Com base na definição da função igualdade([a], [b]) considere para seu uso as operações a seguir:

```
?| igualdade([1,2,3], [3,2,1])
>| .verdadeiro.
?| _

?| ([1,2,3], [3,2,1,0])
>| .falso.
?| _
```

Veja, em seguida, a definição da função igualdade([a], [b]) com a linguagem Hope:

```
dec igualdade : list num # list num -> truval;
--- igualdade (a, []) <= false;
--- igualdade ([], b) <= false;
```

```
--- igualdade (a :: as, b :: bs) <=
         if classifica (a :: as) = classifica (b :: bs)
         then true
         else false;
```

Note, em seguida, a definição da função igualdade [a] [b] com a linguagem Haskell:

```
:{
igualdade :: (Eq a, Ord a, Num a) => [a] -> [a] -> Bool
igualdade a [] = False
igualdade [] b = False
igualdade (a : as) (b : bs) =
  if classifica (a : as) == classifica (b : bs)
  then True
  else False
:}
```

4.3.5 INCLUSÃO

Além das operações tradicionais de conjuntos apresentadas, há a ação de verificar se certo conjunto está contido em outro conjunto a partir da definição da *relação de inclusão*. Para realizar essa ação será definida a função sub_lista([x], [y]) que devolve como resposta um valor falso ou verdadeiro. Observe o código em *português funcional* a seguir:

```
1: sub_lista (lista número, lista número) >> lógico
2: sub_lista ([], []) = .verdadeiro.
3: sub_lista ([], _) = .verdadeiro.
4: sub_lista (_, []) = .falso.
5: sub_lista (x :: xs, y :: ys) = se x = y
                                  então sub_lista (xs, ys)
                                  senão sub_lista (x :: xs, ys)
```

Entre as linhas 2 e 4 são definidas as condições indiretas que validam quando uma sublista é ou não parte de uma lista mais ampla. A linha 2 indica como resultado verdadeiro a definição de duas listas vazias; a linha 3 indica resultado verdadeiro para a indicação de uma lista vazia que tenha uma lista com algum conteúdo e a linha 4 indica falso caso a primeira lista tenha algum conteúdo, mas possua a segunda lista vazia.

Quando são fornecidas duas listas com conteúdo, executa-se a linha 5. A decisão x = y é usada a partir da definição (x :: xs, y :: ys) que permite verificar se determinado valor corrente de uma lista é igual ao valor corrente da outra lista. Se a condição é verdadeira, a operação sobre a sublista é recursivamente executada a partir das caudas de ambas as listas, mantendo-se o resultado como verdadeiro Se a condição for falsa, a função recebe recursivamente o conteúdo da primeira lista (x :: xs) com a cauda da segunda lista (ys) e reaplica a ação para verificar se ainda há a possibilidade de retornar o resultado verdadeiro.

Com base na definição da função sub_lista([x], [y]) considere para seu uso as operações a seguir:

```
?| sub_lista([1,2,3], [1,2,3,4,5])
>| .verdadeiro.
?| _

?| sub_lista([1,2,7], [1,2,3,4,5])
>| .falso.
?| _

?| sub_lista([], [])
>| .verdadeiro.
?| _
```

```
?| sub_lista([], [1,2,3])
>| .verdadeiro.
?| _

?| sub_lista([1,2,3], [])
>| .falso.
?| _
```

Veja, em seguida, a definição da função sub_lista([x], [y]) com a linguagem Hope:

```
dec sub_lista : list num # list num -> truval;
--- sub_lista ([], []) <= true;
--- sub_lista ([], _) <= true;
--- sub_lista (_, []) <= false;
--- sub_lista (x :: xs, y :: ys) <= if x = y
                                     then sub_lista (xs, ys)
                                     else sub_lista (x :: xs, ys);
```

Note, em seguida, a definição da função sub_lista [x] [y] com a linguagem Haskell:

```
:{
sub_lista :: (Eq a, Num a) => [a] -> [a] -> Bool
sub_lista [] [] = True
sub_lista [] _  = True
sub_lista _ [] = False
sub_lista (x : xs) (y : ys) = if x == y
                              then sub_lista xs ys
                              else sub_lista (x : xs) ys
:}
```

A partir da coleção de funcionalidades indicadas neste tópico é possível executar diversas operações de tratamento de conjuntos do ponto de vista do estudo da teoria de conjuntos.

4.4 GERENCIAMENTO DE LISTAS

A partir das ações anteriores é possível realizar diversas operações sobre conjuntos, do ponto de vista matemático. No entanto, cabe considerar outras operações de um ponto de vista computacional, tais como: saber a posição que um valor ocupa dentro de uma lista (*find*); mostrar o valor de uma lista a partir da posição indicada (*show*); indicar o maior e menor valores de uma lista (*max_list* e *min_list*); replicar um elemento dentro de uma lista (*replicate*); separar uma lista em duas outras (*split*); extrair certa quantidade de elementos das extremidades de uma lista (*take* para acessar o começo da lista, *drop* para acessar o final da lista) e realizar o fatiamento de lista (*slice*) em duas outras listas.

Para se obter a posição cardinal em que certo valor existente dentro de uma lista se encontra é apresentada a função chamada busca(n, [x]) que mostra uma de duas respostas possíveis: mostra o valor da posição cardinal onde o valor se encontra na lista ou informa mensagem orientando que o valor na lista é inexistente. Observe o código definido em *português funcional*:

```
1: busca (número, lista número) >> número
2: busca (0, x :: xs) << x
3: busca (n, x :: xs) << busca (n - 1, xs)
4: busca (_, _) << escreva "índice fora da faixa"
```

A linha 1 especifica o protótipo da função para a recepção de um valor de posição e a lista a ser pesquisada.

Veja que a função busca(n, [x]) inicia sua ação na linha 2 colocando a primeira posição da lista em 0 e retornando a cabeça da lista "x", ou seja, o primeiro elemento.

Na linha 3 a correspondência de padrão indica a recepção da posição "n" sobre lista (n, x :: xs). A expressão desta linha (n - 1, xs) efetua recursivamente nova busca decrementando o valor de "n" em 1 sobre a cauda lista até chegar a 0 e ser processada a linha 2 com o retorno do elemento da posição indicada.

Com base na definição da função busca(n, [x]) considere para seu uso as operações a seguir:

```
?| busca(2, [1,2,3,4,5])
>| 3
?| _

?| busca(negativo(2), [1,2,3,4,5])
>| indice fora da faixa
?| _
```

Veja, em seguida, a definição da função busca(n, [x]) com a linguagem Hope:

```
dec busca : num # list num -> num;
--- busca (0, x :: xz) <= x;
--- busca (n, x :: xs) <= busca (n - 1, xs);
--- busca (_, _) <= error "indice fora da faixa";
```

Note, em seguida, a definição da função busca n [x] com a linguagem Haskell:

```
:{
busca :: (Num a) => Int -> [a] -> a
busca 0 (x : xs) = x
```

```
busca n (x : xs) = busca (n - 1) xs
busca _ _ = error "indice fora da faixa"
:}
```

Diferentemente da função busca(n, [x]), a função mostra(n, [x]) apresenta um dos elementos da lista a partir da indicação de uma posição cardinal que exista na lista. Observe o código definido em *português funcional*:

```
1: mostra (número, lista número) >> número
2: mostra (n, []) << se n < tamanho ([]) .ou. n > tamanho ([])
                     então escreva "índice fora da faixa"
                     senão 0
3: mostra (0, n :: xs) << n
4: mostra (n, x :: xs) << mostra (n - 1, xs)
```

A função mostra(n, [x]) é, em parte, semelhante a função busca(n, [x]). Atente-se para a linha 3 onde a expressão retorna o valor *N* quando ocorrer a condição indireta (0, n :: xs) usada para finalizar a ação recursiva. Na linha 4, a recursividade ocorre diminuindo em 1 o valor de *N* até chegar a zero e assim retornar a resposta desejada.

Com base na definição da função mostra(n, [x]) considere para seu uso as operações a seguir:

```
?| mostra(2, [1,2,3,4,5])
>| 3
?| _

?| mostra(7, [1,2,3,4,5])
>| indice fora da faixa
?| _
```

Veja, em seguida, a definição da função mostra(n, [x]) com a linguagem Hope:

```
dec mostra : num # list num -> num;
--- mostra (n, []) <= if n < tamanho [] or n > tamanho []
                      then error "indice fora da faixa"
                      else 0;
--- mostra (0, n :: xs) <= n;
--- mostra (n, x :: xs) <= mostra (n - 1, xs);
```

Note, em seguida, a definição da função mostra n [x] com a linguagem Haskell:

```
:{
mostra:: (Eq a, Num a) => Int -> [a] -> a
mostra n [] = if n < tamanho [] || n > tamanho []
              then error "indice fora da faixa"
              else 0
mostra 0 (n : xs) = n
mostra n (x : xs) = mostra (n - 1) xs
:}
```

Uma lista é uma coleção de elementos ordenados que podem estar classificados de forma crescente, decrescente ou mesmo em outra disposição. Não importando a forma como os elementos estão distribuídos, muitas vezes é necessário detectar o maior e/ou o menor valor existente. Para atender a essa possível necessidade são indicadas as funções lista_max([a]) e lista_min([a]) e que, respectivamente, apresentam o maior e o menor valores existentes na lista usada como argumento. Por serem as funções estruturalmente semelhantes observe o código em *português funcional* das duas funcionalidades:

```
1: lista_max (lista número) >> número

2: lista_max ([]) << escreva "lista vazia"

3: lista_max ([a]) << a

4: lista_max (x :: xs) << se x > lista_max xs

                           então x

                           senão lista_max xs
```

```
1: lista_min (lista número) >> número

2: lista_min ([]) << escreva "lista vazia"

3: lista_min ([a]) << a

4: lista_min (x :: xs) << se x < lista_min xs

                           então x

                           senão lista_min xs
```

As funções lista_max([x]) e lista_min([x]) são semelhantes. Note que, se passada uma lista vazia, como indicado na linha 2, é apresentada uma mensagem informando essa condição. Caso seja passada uma lista válida, como indica a linha 4, ocorre o processamento da recursão percorrendo cada elemento *X* da lista na cauda *XS* e verificando a cada recursão se o elemento *X* é respectivamente maior ou menor de acordo com a função em uso. Sendo a condição verdadeira no final é extraído o valor desejado. O encerramento da função ocorre com a execução da linha 3 apresentando o valor selecionado na lista.

Com base nas definições das funções lista_max([x]) e lista_min([x]) considere para seu uso as operações a seguir:

```
?| lista_max([3, 2, 1, 5, 4])

>| 5

?| _
```

```
?| lista_min([3 ,2, 1, 5, 4])

>| 1

?| _
```

Note, em seguida, as definições das funções lista_max([x]) e lista_min([x]) com a linguagem Hope:

```
dec lista_max : list num -> num;
--- lista_max [] <= error "lista vazia";
--- lista_max ([a]) <= a;
--- lista_max (x :: xs) <= if x > lista_max xs
                    then x
                    else lista_max xs;

dec lista_min : list num -> num;
--- lista_min [] <= error "lista vazia";
--- lista_min ([a]) <= a;
--- lista_min (x :: xs) <= if x < lista_min xs
                      then x
                      else lista_min xs;
```

Veja, em seguida, as definições das funções lista_max [x] e lista_min [x] com a linguagem Haskell:

```
:{
lista_max :: (Ord a, Num a) => [a] -> a
lista_max [] = error "lista vazia"
lista_max [a] = a
lista_max (x : xs) = if x > lista_max xs
                  then x
                  else lista_max xs

lista_min :: (Ord a, Num a) => [a] -> a
lista_min [] = error "lista vazia"
lista_min [a] = a
lista_min (x : xs) = if x < lista_min xs
```

```
                    then x
                    else lista_min xs
:}
```

Havendo a necessidade em criar uma lista contendo o mesmo elemento replicado certo número de vezes, apresenta-se a função replicar(quantidade, valor). Observe o código definido em *português funcional*:

```
1: replicar (número, número) >> lista número
2: replicar (quantidade, valor) <<
     se quantidade = 0
     então []
     senão valor :: replicar (n - 1, valor)
```

A função replicar(quantidade, valor) tem como encerramento o retorno de lista vazia se, ou quando, a *QUANTIDADE* for igual a 0, como indica a linha 2. Não sendo essa condição verdadeira, a lista será montada *VALOR* a *VALOR* com a quantidade de vezes estabelecida.

Com base na definição da função replicar(quantidade, valor) considere para seu uso as operações a seguir:

```
?| replicar(5, 99)
>| [99, 99, 99, 99, 99]
?| _
```

Veja, em seguida, a definição da função replicar(quantidade, valor) com a linguagem Hope:

```
dec replicar : num # num -> list num;
--- replicar (quantidade, valor) <=
      if quantidade = 0
      then []
      else valor :: replicar (quantidade - 1, valor);
```

Note, em seguida, a definição da função `replicar quantidade valor` com a linguagem Haskell:

```
:{
replicar :: (Eq a, Num a) => a -> a -> [a]
replicar quantidade valor =
  if quantidade == 0
  then []
  else valor : replicar (quantidade - 1) valor
:}
```

Em uma lista é possível acessar os elementos de suas extremidades. Para essa ação são necessárias as funções `começo(n, [x])` e `final(n, [x])` que, respectivamente, acessam certa quantidade de elementos a partir do começo e do final da lista. Observe o código definido em *português funcional* para ambas as funções:

```
1: começo (número, lista número) >> lista número
2: começo (_, []) << []
3: começo (n, x :: xs) << se n > 0
                          então x :: começo (n - 1, xs)
                          senão []

1: final (número, lista número) >> lista número
2: final (_, []) << []
3: final (n, x :: xs) << se n - 1 > 0
                         então final (n - 1, xs)
                         senão xs
```

Atente-se para os códigos das funções `começo(n, [x])` e `final(n, [x])` e observe que apesar de semelhantes possuem diferenças sutis na execução da linha 3. A linha 2, em ambas as funções, é usada para encerrar a execução da recursão. Se a condição de controle da recursão for falsa em ambas as funções, será retornada uma lista vazia, marcando a última posição da lista criada.

A função começo(n, [x]) verifica com a linha 3 se o valor de *N* é maior que 0, sendo a condição verdadeira ocorre a recursão do lado esquerdo da lista permitindo obter a quantidade de valores de *N* em uma lista resultante. A cada recursão o valor de *N* é decrementado em 1 e é retirado na lista resultante o valor que está na cabeça da lista x :: começo (n - 1, xs). A cada valor retirado da cabeça *X* a cauda *XS* se torna menor até que a lista fique vazia e a linha 2 seja processada formando uma lista com os valores do começo da lista original.

A função final(n, [x]) verifica com a linha 3 se o valor de *N - 1* é maior que 0, sendo a condição verdadeira ocorre a recursão do lado direito da lista permitindo obter a quantidade de valores de *N - 1* em uma lista resultante. A cada recursão o valor de *N* é decrementado em 1 e é retirado na lista resultante o valor que está na cauda da lista final (n - 1, xs) compondo uma lista com os elementos do final da lista original.

Com base nas definições das funções começo(n, [x]) e final(n, [x]) considere para seu uso as operações a seguir:

```
?| comeco(3, [5,4,3,2,1])
>| [5, 4, 3]
?| _

?| comeco(7, [5,4,3,2,1])
>| [5, 4, 3, 2, 1]
?| _

?| comeco(0, [5,4,3,2,1])
>| []
?| _
```

```
?| final(0, [5,4,3,2,1])
>| [4, 3, 2, 1]
?| _

?| final(100, [5,4,3,2,1])
>| []
?| _

?| final(3, [5,4,3,2,1])
>| [2, 1]
?| _
```

Note, em seguida, as definições das funções começo(n, [x]) e final(n, [x]) com a linguagem Hope:

```
dec comeco : num # list num -> list num;
--- comeco (_, []) <= [];
--- comeco (n, x :: xs) <= if n > 0
                             then x :: comeco (n - 1, xs)
                             else [];

dec final : num # list num -> list num;
--- final (_, []) <= [];
--- final (n, x :: xs) <= if n - 1 > 0
                            then final (n - 1, xs)
                            else xs;
```

Veja, em seguida, as definições das funções começo n [x] e final n [x] com a linguagem Haskell:

```
:{
comeco :: (Ord a, Num a) => Int -> [a] -> [a]
```

```
comeco _ [] = []
comeco n (x : xs) = if n > 0
                    then x : comeco (n - 1) xs
                    else []

final :: (Ord a, Num a) => Int -> [a] -> [a]
final _ [] = []
final n (x : xs) = if n - 1 > 0
                   then final (n - 1) xs
                   else x
:}
```

Uma lista pode ser dividida em duas outras listas pela metade de seu tamanho com o uso da função separar([x]) codificada a seguir em *português estruturado*. Se o tamanho da metade da lista for par, as partes divididas serão iguais em quantidade de elementos na lista, mas se o tamanho da metade da lista for ímpar, a primeira lista terá um valor a mais que a segunda lista.

```
1: separar (lista número) >> (lista número, lista número)
2: separar ([]) << ([], [])
3: separar (xs) <<
   se tamanho (xs) mod 2 <> 0
   então (começo ((tamanho (xs) div 2) + 1, xs), final ((tamanho (xs) div 2) + 1, xs))
   senão (começo (tamanho (xs) div 2, xs), final (tamanho (xs) div 2, xs))
```

A linha 1 do protótipo da função estabelece a entrada de uma lista como argumento e estabelece como saída dois conjuntos delimitados entre parênteses que são usados para compor a apresentação de duas listas a partir da ação divisão. Com a linha 2, faz-se a definição de finalização da ação de recursividade ou o estabelecimento de retorno de duas listas vazias se uma lista vazia for fornecida.

A linha 3 usa para a realização da divisão o apoio das funções começo(n, [x]) e final(n, [x]) que retornam, respectivamente, o início e fim de uma lista a partir de certa quantidade de elementos definida. Pelo fato do tamanho da lista influenciar a forma de divisão, a condição tamanho (xs) mod 2 <> 0 faz o ajuste quando o tamanho for ímpar ou par. Se a metade do tamanho for ímpar, a primeira lista deverá ter um valor a mais que a segunda lista. É devido a isto que é usada na obtenção da metade do tamanho a adição de mais uma umidade em (tamanho (xs) div 2) + 1. Se a metade do tamanho da lista for par, as listas terão igualmente a mesma quantidade de elementos.

Com base na definição da função separar([x]) considere para seu uso as operações a seguir:

```
?| separar([1,2,3,4,5])
>| ([1, 2, 3], [4, 5])
?| _

?| separar([1,2,3,4,5,6])
>| ([1, 2, 3], [4, 5, 6])
?| _

?| separar([1])
>| ([1], [])
?| _

?| separar([])
>| ([], [])
?| _
```

Veja, em seguida, a definição da função separar([x]) com a linguagem Hope:

```
dec separar : list num -> list num # list num;
--- separar [] <= ([], []);
--- separar xs <=
    if tamanho (xs) mod 2 /= 0
    then (comeco ((tamanho (xs) div 2) + 1, xs), final ((tamanho (xs) div 2) + 1, xs))
    else valor :: replicar (quantidade - 1, valor);
```

Note, em seguida, a definição da função separar [x] com a linguagem Haskell:

```
:{
separar :: (Ord a, Num a) => [a] -> ([a], [a])
separar [] = ([], [])
separar xs =
  if mod (tamanho xs) 2 /= 0
  then (comeco ((div (tamanho xs) 2) + 1) xs, final ((div (tamanho xs) 2) + 1) xs)
  else (comeco (div (tamanho xs) 2) xs, final (div (tamanho xs) 2) xs)
:}
```

Apesar de conjuntos poderem ser formados contendo elementos repetidos, essa não é uma forma comum de representação, pois um conjunto A = {1, 2, 2, 2} é o mesmo que um conjunto A = {1, 2}. O problema seria na verificação da ação de igualdade entre conjuntos. Para estes casos é mais interessante remover da lista todos os elementos que sejam repetidos.

Além de obter os elementos das extremidades de uma lista, é possível fazer o fatiamento de elementos, definindo-se de que ponto até que ponto da lista será usado para extrair elementos.

Para fatiar elementos de uma lista é definida a função fatiar(i, f, [x]) que usará como auxílio as funções começo(n, [x]) e final(n, [x]). Observe o código definido em *português funcional*:

```
1: fatiar (número, número, lista número) >> lista número
2: fatiar (i, f, x) << final (i, começo (f, x))
```

Veja que na linha 2 são passados para a expressão final (i, começo (f, x)) os valores de início *I* e fim *F* para a realização da extração da faixa de elementos com uso da composição realizada com as funções começo(n, [x]) e final(n, [x]).

Com base na definição da função fatiar(i, f, [x]) considere para seu uso as operações a seguir:

```
?| fatiar(3, 6, [1,2,3,4,5,6,7,8,9,0])
>| [4, 5, 6]
?| _
```

Veja, em seguida, a definição da função fatiar(i, f, [x]) com a linguagem Hope:

```
dec fatiar : num # num # list num -> list num;
--- fatiar (i, f, x) <= final (i, comeco (f, x));
```

Note, em seguida, a definição da função fatiar i f [x] com a linguagem Haskell:

```
:{
fatiar :: (Ord a, Num a) => Int -> Int -> [a] -> [a]
fatiar i f x = final i (comeco f x)
:}
```

Neste tópico foram indicadas e comentadas diversas funcionalidades para o gerenciamento de listas além das ações triviais encontradas e operacionalizadas na ciência matemática.

4.5 PROCESSAMENTO DE SEQUÊNCIAS E SUAS RELAÇÕES

Algebricamente, uma função é definida como $f\colon A \rightarrow B$, onde a letra "efe" (podendo-se usar outra letra) representa a relação existente entre (seta para à direita) os elementos dos conjuntos A e B. A partir da existência de uma relação entre dois conjuntos, tem-se a definição de uma regra de operação algebricamente representada por $y = f(x)$ que será, por sua vez, definida computacionalmente como $f(x) = y$.

A partir das definições $f: A \rightarrow B$ e $y = f(x)$, tem-se como domínio o conjunto A e como contradomínio o conjunto B. A indicação *domínio* (conjunto A) se refere ao conjunto que possui os valores independentes, os quais determinam a partir da regra algébrica $y = f(x)$ os valores do conjunto *contradomínio* (conjunto B) formados pelos valores dependentes.

Pode existir no conjunto contradomínio algum valor que não tenha relação com um valor do conjunto domínio, ou seja, não pertencente ao conjunto *imagem* definido a partir da função existente entre os conjuntos. Assim, o conjunto imagem é por sua natureza um subconjunto do conjunto contradomínio possuindo os valores que correspondem diretamente aos valores do conjunto domínio, de acordo com a regra definida pela função.

A partir da definição matemática sobre funções, são apresentados alguns exemplos de uso de domínio representado pelo conjunto A, contradomínio representado como conjunto B e conjunto imagem como resultado direto das funções estabelecidas entre os conjuntos A e B.

O processamento de sequências sobre as relações funcionais entre conjuntos é uma ação de tratamento de dados aplicada recursivamente a partir do uso de funções de ordem superior ou de alta ordem sobre os elementos individuais de uma lista a partir das ações operacionais: dobragem, mapeamento, filtragem, redução, compactação e descompactação. Esse conjunto de funções são ferramentas de excelente performance para o trabalho de extração de dados, principalmente em operações de mineração de dados.

4.5.1 MAPEAMENTO

A ação de mapeamento (map) permite aplicar recursivamente certa operação (função) a cada elemento existente na lista (conjunto domínio) gerando um conjunto contradomínio com a mesma quantidade de elementos do conjunto domínio, mas com os resultados implicados pela função aplicada. A Figura 4.2 mostra como uma função de mapeamento opera sua ação sobre os conjuntos *A* (domínio) e *B* (contradomínio) a partir da função *f(x) = x3*.

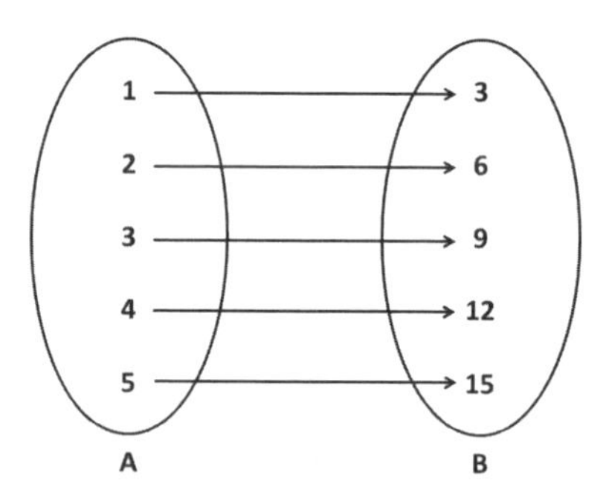

Figura 4.2 — Conjuntos domínio e contradomínio da função f(x) = x3.

A operação de mapeamento não recebe uma função nomeada, pois sua ação é executada a partir do uso de uma função anônima (lambda). Para realizar ação de mapeamento é definida a função mapa([x], |função|) indicada em *português funcional*.

```
1: mapa (lista número, ||número >> número||) >> lista número
2: mapa ([], função) << []
3: mapa (x :: xs, função) << função (x) :: mapa (xs, função)
```

O protótipo da função mapa([x], ||função||) na linha 1 indica o uso de dois argumentos de entrada sendo um representando uma lista numérica e outro representando uma função *callback* que são usados no processamento do mapeamento. Nesse sentido, o primeiro argumento estabelece um conjunto domínio lista número e o segundo argumento estabelece uma função ||número >> número||

a ser aplicada ao conjunto domínio para então gerar como resposta o retorno de um conjunto contradomínio.

A linha 2 efetua o retorno de um conjunto vazio se um conjunto vazio for fornecido como argumento ou quando a ação de recursividade chegar ao final do conjunto domínio. Na linha 3 a definição do padrão de correspondência (x :: xs, função) especifica o uso de uma lista e uma função passada como argumento sobre o conjunto domínio função (x :: mapa (xs, função)) criando o conjunto contradomínio a partir de cada elemento *X* do conjunto domínio.

Com base na definição da função mapa([x], ||função||) considere para seu uso as operações a seguir:

```
?| mapa([1, 2, 3, 4, 5], | x >>> x * 3)
>| [3, 6, 9, 12, 15]
?| _
```

Veja, em seguida, a definição da função fatiar(i, f, [x]) com a linguagem Hope que deverá ser usada a partir da sintaxe "mapa([1, 2, 3, 4, 5], \ x => x * 3);":

```
dec mapa : list num # (num -> num) -> list num;
--- mapa ([], funcao) <= [];
--- mapa (x :: xs, funcao) <= funcao x :: mapa (xs, funcao);
```

Note, em seguida, a definição da função fatiar i f [x] com a linguagem Haskell que deverá ser usada a partir da sintaxe "mapa [1, 2, 3, 4, 5] (* 3)":

```
:{
mapa :: (Num a) => [a] -> (a -> a) -> [a]
mapa [] funcao = []
mapa (x : xs) funcao = (funcao x) : (mapa xs funcao)
:}
```

A ação de mapeamento pode ser aplicada quando há a necessidade de se obter um resultado geral sobre um conjunto domínio a partir de cada um de seus elementos. Um exemplo, prático de uso de mapeamento pode ocorrer dentro de uma empresa ao se estabelecer para a equipe de vendas uma nova meta para o próximo período de tempo baseado nas vendas do período atual.

4.5.2 FILTRAGEM

A ação de filtragem (`filter`) visa aplicar recursivamente certa operação (função) sobre certos elementos existentes em um conjunto domínio gerando como resposta um conjunto contradomínio apenas com uma parte dos elementos desejados do conjunto domínio que atendam a certa condição. A Figura 4.3 mostra estruturalmente como uma função de filtragem opera sua ação sobre o conjunto indicado a partir da função *f(x) = x - 2⌊x / 2⌋ | x ~= 0*.

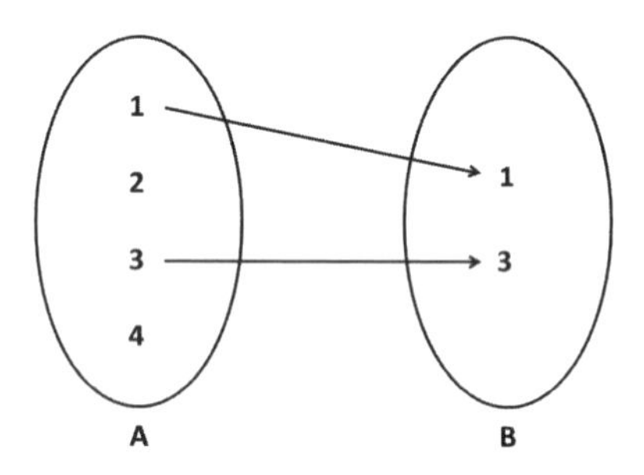

Figura 4.3 — Filtragem com função f(x) = x - 2 ⌊x / 2⌋ | x ~= 0.

Para realizar essa ação é definida a função filtro(função, [x]) indicada, em seguida, em código *português funcional*:

```
1: filtro (||número -> lógico||, lista número) >> lista número
2: filtro (função, []) << []
3: filtro (função, x :: xs) << se função (x)
                                então x :: filtro (função, xs)
                                senão filtro (função, xs)
```

O protótipo da função filtro(função, [x]) na linha 1 indica o uso dos argumentos de entrada sendo uma função ||número -> lógico|| delimitada entre os símbolos de "||", além da definição da ação que será executada sobre a lista indicada no segundo argumento lista número. O terceiro argumento estabelece o conjunto contradomínio com a imagem da função ||número -> lógico|| usada na filtragem.

A linha 2 efetua o retorno de um conjunto vazio se um conjunto vazio for fornecido como argumento ou quando a ação de recursividade chegar ao final do conjunto domínio, como indicado na correspondência de padrão (função, []). Observe que a indicação do argumento função será substituída por uma função passada quando da execução da função filtro(função, [x]).

Na linha 3 é realizada uma verificação condicional do valor da lista sobre a função passada como argumento. Se o resultado da condição for verdadeiro a lista resultante é criada a partir da ação x :: filtro (função, xs), senão a recursão efetua o deslocamento para a próxima posição da lista.

Com base na definição da função filtro(função, [x]) considere para seu uso as operações a seguir:

```
?| filtro( | x >>> impar(x), [1,2,3,4])
>| [1, 3]
?| _
```

Note, em seguida, a definição da função filtro(função, [x]) com a linguagem Hope que deverá ser usada a partir da sintaxe " filtro(\x => ímpar(x), [1,2,3,4]);":

```
dec filtro : (num -> truval) # list num -> list num;
--- filtro (funcao, []) <= [];
--- filtro (funcao, x :: xs) <= if funcao x
                                then x :: filtro (funcao, xs);
                                else filtro (funcao, xs);
```

Veja, em seguida, a definição da função filtro função [x] com a linguagem Haskell que deverá ser usada a partir da sintaxe " filtro (ímpar) [1,2,3,4]":

```
:{
filtro :: (Ord a, Num a) => (a -> Bool) -> [a] -> [a]
filtro funcao [] = []
filtro funcao (x : xs) = if funcao x
                         then x : (filtro funcao xs)
                         else filtro funcao xs
:}
```

A ação de filtragem pode ser aplicada quando há a necessidade de se obter um resultado parcial sobre um conjunto domínio a partir de certa condição estabelecida sobre cada um de seus elementos. Um exemplo, prático de uso de mapeamento pode ocorrer dentro de uma empresa ao se estabelecer para a equipe de vendas que os vendedores que baterem as metas ganharão como prêmio um bônus em seus pagamentos.

4.5.3 REDUÇÃO

A redução (reduce) visa aplicar recursivamente uma função a todos os elementos existentes em um conjunto domínio gerando como resposta um único valor cumulativo calculado a partir da combinação da coleção de elementos. A Figura 4.4 mostra estruturalmente como uma função de redução opera sua ação sobre o conjunto indicado a partir da função $f(x) = \sum x$.

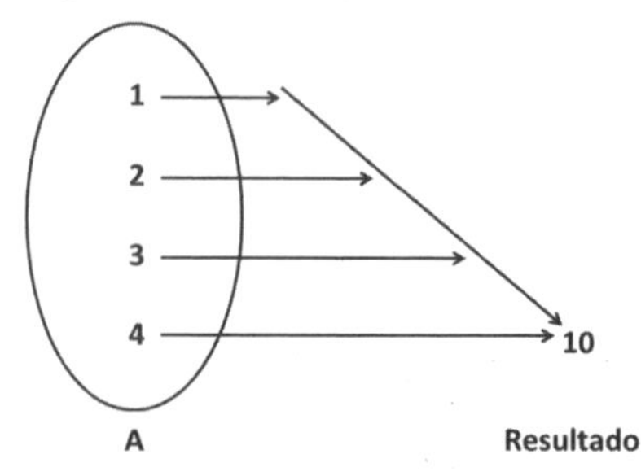

Figura 4.4 — Filtragem de conjunto com função f(x) = Σx.

Na operação de redução o conjunto domínio não pode ser vazio, mas o conjunto contradomínio poderá ter um único elemento ou ser um conjunto vazio.

Para realizar essa ação, é definida a função redução([x], função, n) indicada, em seguida, em código *português funcional*:

```
1: redução (lista número, ||número, número >> número||, número) >> número
2: redução ([], função, n) << n
3: redução (x :: xs, função, n) << função (x, redução (xs, função, n))
```

O protótipo da função na linha 1 indica a recepção do primeiro argumento definido como conjunto, o segundo argumento marca o uso de uma função que opera com dois argumentos (função de redução) e o terceiro argumento usado para definir um valor inicial para a ação de redução. Se informado um conjunto vazio, como indicado na linha 2, será dado como retorno o valor do argumento *N*. O argumento *N* é usado para auxiliar a ação da função definida no segundo argumento.

Observe que a ação de redução fica evidenciada na linha 3 onde a função passada como argumento função (x, redução (xs, função, n)) atua recursivamente sobre cada elemento do conjunto definindo para o conjunto contradomínio a partir da regra redução (xs, função, n) aplicada no argumento *FUNÇÃO*.

Com base na definição da função redução (xs, função, n) considere para seu uso as operações a seguir:

```
?| redução([1, 2, 3, 4], soma, 0)
>| 10
?| _
```

Note, em seguida, a definição da função redução (xs, função, n) com a linguagem Hope:

```
dec reducao : list num # (num # num -> num) # num -> num;
--- reducao ([], funcao, n) <= n;
```

```
--- reducao (x :: xs, funcao, n) <= funcao (x, reducao (xs, funcao, n));
```

Veja, em seguida, a definição da função redução xs (função) n com a linguagem Haskell:

```
:{
reducao :: (Num a) => [a] ->  (a -> a -> a) -> a -> a
reducao [] funcao n = n
reducao (x : xs) funcao n = funcao x (reducao xs funcao n)
:}
```

A ação de redução pode ser aplicada quando há a necessidade de se obter um resultado total sobre um conjunto domínio a partir de certa condição estabelecida sobre cada um de seus elementos. Um exemplo prático de uso de redução pode ocorrer dentro de uma empresa ao se estabelecer para a equipe de vendas que esta ganhará além dos bônus de cumprimento de meta individuais um bônus extra se, e somente se, o total de vendas do período chegar a certo patamar.

4.5.4 DOBRAS

Dobras servem para aplicar funções binárias e um valor inicial com o objetivo de percorrer os elementos de uma lista de forma associativa. É uma forma de redução que tem por finalidade realizar certa ação de processamento uma única vez sobre os elementos de uma lista (conjunto). A dobra para sua ação utiliza três argumentos: uma função binária de alta ordem que opera sempre com dois argumentos com a definição de um valor inicial sobre uma estrutura de dados como lista que sofrerá a ação da função aplicada.

As operações de dobra podem ser realizadas a partir da associação de dados à direita (*foldr*) representada aqui pela função dobra_d(f, n, [x]) que efetua sua ação sobre os elementos da lista da direita para a esquerda (do último ao primeiro elemento), dobrando os elementos à direita ou a partir da associação dos dados dispostos à esquerda (*foldl*) representada aqui pela função dobra_e(f, n, [x]) que efetua sua ação sobre os elementos da lista da esquerda para a direita (do primeiro ao último elemento), dobrando os elementos a esquerda. O argumento *F* representa uma função, *N* é o valor que determina a grandeza usada pela função a ser aplicada sobre uma lista *X*, usada como acumulador da operação. A Figura 4.5 mostra a estrutura funcional das funções dobra_d(f, n, [x]) e dobra_e(f, n, [x]).

Uma operação de dobra é uma maneira de fazer a abstração no uso de recursão, pois permite que se defina uma função binária que é usada para percorrer os elementos de uma lista na forma de árvore. Observe os esquemas de funcionamento das operações de dobra aplicadas à direita e à esquerda, Diller (2016, p. 6):

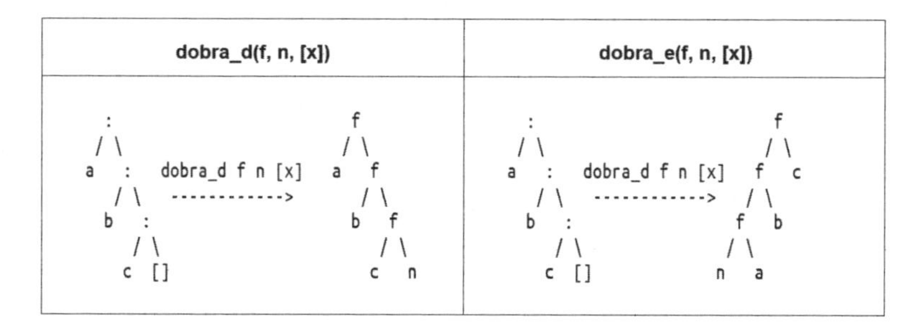

Figura 4.5 — Esquema funcional dobra_d e dobra_e.

Para realizar as operações de dobra à direita, considere a função dobra_d(f, n, [x]) escrita, em seguida, em *português funcional*:

```
1: dobra_d (||número, número >> número||, número, lista número) >> número
2: dobra_d (f, n, []) << n
3: dobra_d (f, n, x :: xs) = f (x, dobra_d (f, n, xs))
```

Para realizar as operações de dobra à esquerda, considere a função dobra_e(f, n, [x]). Veja, em seguida, os códigos escritos em *português funcional*:

```
1: dobra_e (||número, número >> número||, número, lista número) >> número
2: dobra_e (f, n, []) << n
3: dobra_e (f, n, x :: xs) << dobra_e (f, (f (n, x), xs))
```

As linhas 1 e 2 das funções dobra_d(f, n, [x]) e dobra_e(f, n, [x]) estabelecem, respectivamente, os protótipos das funções e retorno do valor da função indicado no argumento *N*, se a lista estiver vazia ou quando se tornar vazia após o término da recursividade.

A linha 3 da função dobra_d(f, n, [x]) usa a ação f (x, dobra_d (f, n, xs)) para aplicar recursivamente a função passada no argumento *F* a partir do valor acumulativo *N* sobre os elementos de uma lista da direita para a esquerda. A operação dobra_d ((| x, y >> 2 * x + y), 5, [1, 2, 3]) obtém como resultado o valor 17 a partir da operação recursiva (2 * 3 + (2 * 2 + (2 * 1 + 5))).

A linha 3 da função dobra_e(f, n, [x]) usa a ação dobra_e (f, (f (n, x), xs)) para aplicar recursivamente a função passada no argumento *F* a partir do valor acumulativo *N* sobre os elementos de uma lista da esquerda para a direita. A operação dobra_e ((| x, y >> 2 * x + y), 5, [1, 2, 3]) obtém como resultado o valor 51 a partir da operação recursiva (2 * (2 * (2 * 5 + 1) + 2) + 3).

Com base nas definições das funções dobra_d(f, n, [x]) e dobra_e(f, n, [x]) considere para seu uso as operações a seguir:

```
?| dobra_d(( | (x, y) >>> 2 * x + y), 5, [1,2,3])
>| 17
?| _

?| dobra_d((-), 7, [4,7,3,5])
>| 2
?| _

?| dobra_e(( | (x, y) >>> 2 * x + y), 5, [1,2,3])
>| 51
?| _
```

```
?| dobra_e((-), 7, [4,7,3,5])
>| -12
?| _
```

Note, em seguida, as definições das funções dobra_d(f, n, [x]) e dobra_e(f, n, [x]) com a linguagem Hope:

```
dec dobra_d : (num # num -> num) # num # list num -> num;
--- dobra_d (f, n, []) <= n;
--- dobra_d (f, n, x :: xs) <= f (x, dobra_d (f, n, xs));

dec dobra_e : (num # num -> num) # num # list num -> num;
--- dobra_e (f, n, []) <= n;
--- dobra_e (f, n, x :: xs) <= dobra_e (f, (f (n, x), xs));
```

Veja, em seguida, as definições das funções dobra_d (f) n [x] e dobra_e (f) n [x] com a linguagem Haskell:

```
:{
dobra_d :: (Num a) => (a -> a -> a) -> a -> [a] -> a
dobra_d f n [] = n
dobra_d f n (x : xs) = f x (dobra_d f n xs)
dobra_e :: (Num a) => (a -> a -> a) -> a -> [a] -> a
dobra_e f n [] = n
dobra_e f n (x : xs) = dobra_e f (f n x) xs
:}
```

As operações de dobragem e de redução são semelhantes, tendo como diferença o fato de que na dobragem, para ser usada, pode-se escolher a ordem de direção que a dobragem é realizada, diferentemente da ação de redução que é realizada da esquerda para a direita.

4.5.5 COMPACTAÇÃO

A ação de compactação (*zip*), uma espécie de transposição de dados, visa criar um conjunto maior a partir da formação de elementos intercalados de outros dois conjuntos, assemelhando-se ao uso de um *zipper* ao ser fechado. A compactação ocorrerá com a junção do primeiro valor do primeiro conjunto com o primeiro valor do segundo conjunto, depois é realizada a junção do segundo elemento do primeiro conjunto com o segundo elemento do segundo conjunto, e assim por diante, formando pares de valores delimitados entre parênteses até que os elementos de um dos conjuntos acabem. Se os conjuntos a serem compactados forem de tamanho diferentes a compactação usará como base o conjunto com menor número de elementos. O resultado da compactação é uma lista composta de pares de valores na forma de tuplas. A Figura 4.6 mostra estruturalmente como uma função de transposição opera.

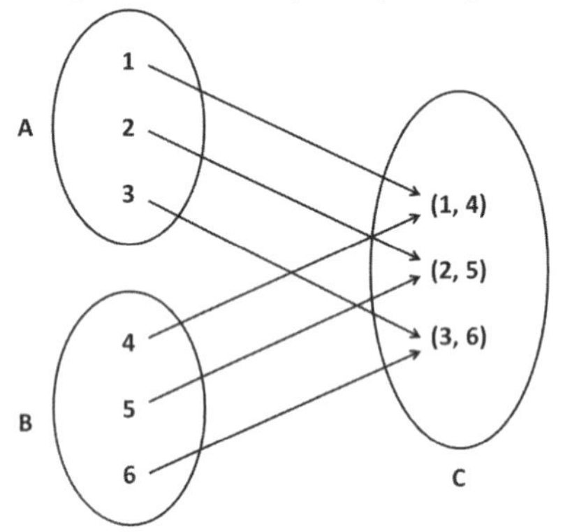

Figura 4.6 — Transposição de conjuntos.

Uma tupla no contexto da programação funcional é uma coleção de elementos delimitados entre parênteses, diferente das listas que são uma coleção de elementos delimitados entre colchetes.

Para realizar as operações de compactação considere a função compacta([a], [b]) escrita, em seguida, em *português funcional*:

```
1: compacta (lista número, lista número) >> lista (número, número)

2: compacta ([], b) << []
```

```
3: compacta (a, []) << []
4: compacta (x :: a, y :: b) << (x, y) :: compacta (a, b)
```

O protótipo da função na linha 1 estabelece a recepção de duas listas e gera o formato de saída como sendo uma lista de tupla e as linhas 2 e 3 estabelecem o retorno de um conjunto vazio se um dos conjuntos for vazio ou retornará uma posição vazia quando a recursividade terminar de percorrer as listas operacionalizadas.

A linha 4 possui a definição do padrão (x :: a, y :: b), onde o elemento *X* até a cauda *A* pertence a primeira lista e o elemento *Y* até a cauda *B* pertence a segunda lista e estabelece a ação de recursão como os elementos da primeira e segunda lista (x, y) a serem colocados na lista resultante na forma de tupla até a cauda das listas indicada com compacta (a, b).

Com base na definição da função compacta (a, b) considere para seu uso as operações a seguir:

```
?| compacta([1,2,3], [4,5,6])
>| [(1, 4), (2, 5), (3, 6)]
?| _

?| compacta([1,2,3,4], [5,6])
>| [(1, 5), (2, 6)]
?| _

?| compacta([1,2], [3,4,5,6])
>| [(1, 3), (2, 4)]
?| _
```

Veja, em seguida, a definição da função compacta (a, b) com a linguagem Hope:

```
dec compacta : list num # list num -> list (num # num);
--- compacta ([], b) <= [];
```

```
--- compacta (a, []) <= [];
--- compacta (x :: a, y :: b) <= (x, y) :: compacta (a,  b);
```

Note, em seguida, a definição da função `compacta a b` com a linguagem Haskell:

```
:{
compacta :: (Num a) => [a] -> [a] -> [(a, a)]
compacta [] b = []
compacta a [] = []
compacta (a : as) (b : bs) = (a, b) : compacta as bs
:}
```

A operação de compactação pode ser aplicada quando há a necessidade em realizar a combinação de elementos entre conjuntos. Um exemplo prático de uso de compactação pode ocorrer dentro de uma empresa ao se criar equipes de trabalho a partir de grupos de pessoas.

> EXERCÍCIOS

Os exercícios seguintes deverão ser codificados em *português funcional*. As codificações nas linguagens Hope e Haskell são opcionais.

1 > Elabore uma função chamada `simples([x])` que retorne verdadeiro, se a lista fornecida é simples, ou seja, uma lista que contém apenas um único elemento. Se a lista for vazia ou contiver mais de um elemento, a função deve retornar o valor falso.

2 > Elabore uma função chamada `lista_min_max([x])` que retorne na forma de lista os valores mínimo e máximo da lista indicada, não importando a ordem de disposição dos elementos na lista.

3 > Elabore uma função chamada `vazia([x])` que retorne verdadeiro se a lista fornecida é vazia ou falso se a lista contiver algum conteúdo.

4 > Elabore uma função chamada `intervalo(m, n)` que crie uma lista contendo os valores de "`n`" a "`m`".

5 > Elabore uma função chamada `põe_último(n, [x])` que coloque determinado elemento na última posição de uma lista.

6 > Elabore uma função chamada `soma_lista([x])` que apresente o resultado do somatório recursivo dos elementos existentes em uma lista.

7 > Elabore uma função chamada `produto_lista([x])` que apresente o resultado da multiplicação recursiva dos elementos existentes em uma lista.

8 > Elabore uma função chamada `pares([x])` que apresente lista de tuplas composta pelos elementos da lista dispostos em forma de pares. Se fornecida a lista `[1, 2, 3, 4, 5]` deve ser retornado como resultado a sequência `[(1, 2), (2, 3), (3, 4), (4, 5)]`.

9 > Elabore uma função chamada `separar_em(n, [x])` que divide uma lista em duas outras listas a partir de certa quantidade de elementos que deverão formar a primeira lista, sendo que a segunda lista será composta com os elementos restantes.

10 > Elabore uma função chamada `troca(x, y)` que a partir da definição de dois valores apresente uma tupla de par com os valores trocados. Se usada a função `troca(6, 9)` o resultado deve ser `(9, 6)`.

11 > Elabore uma função chamada `eq2grau(a, b, c)` que efetue, se possível, o cálculo da equação de segundo grau apresentando as duas raízes reais calculada a partir da fórmula de Bhaskara dentro de uma lista.

12 > Elabore as funções chamadas `pri(x, y)` e `seg(x, y)` que efetuam, respectivamente, a detecção do primeiro e segundo valores de uma tupla de pares.

13 >Elabore uma função chamada `rotac_e([x])` que tem por finalidade rotacionar um elemento da esquerda para a direita uma posição dentro da lista. Se for indicada a lista `[1, 2, 3, 4, 5]` deve ser apresentado o resultado `[2, 3, 4, 5, 1]`.

14 >Elabore uma função chamada `rotac_d([x])` que tem por finalidade rotacionar um elemento da direita para a esquerda uma posição dentro da lista. Se for indicada a lista `[1, 2, 3, 4, 5]` deve ser apresentado o resultado `[5, 1, 2, 3, 4]`.

15 >Elabore uma função chamada `troca_adj([x])` que tem por finalidade trocar os elementos adjacentes da esquerda para a direita. Se a lista tiver tamanho ímpar, o último elemento não deverá ter sua posição alterada. Se for indicada a lista `[1, 2, 3, 4, 5]` deve ser apresentado o resultado `[2, 1, 4, 3, 5]`.

16 >Elabore uma função chamada `perfeito(n)` que retorne verdadeiro se o valor numérico natural indicado for de fato um número perfeito ou retorne falso, caso o número indicado não for perfeito. Lembre-se de que um número perfeito é aquele igual à soma dos seus divisores maiores ou igual a 1, excluindo o próprio número. Se fornecido 28 o resultado retornado é verdadeiro, uma vez que o valor 28 é igual à soma de seus divisores `14 + 7 + 4 + 2 + 1`. No entanto, se fornecido 15 o resultado será falso pois 15 não é igual a soma de seus divisores `5 + 3 + 1`.

17 >Elabore uma função chamada `lista_perfeito(n)` que apresente todos os divisores de um número fornecido que seja efetivamente perfeito. Caso o número indicado não seja perfeito, a função deve apresentar uma lista vazia. Se fornecido o valor 28, a saída deve ser `[1, 2, 4, 7, 14]` e para um valor numérico não perfeito deve ser apresentado `[]`.

18 >Elabore uma função chamada `soma_ímpares(n)` que apresente o somatório dos valores ímpares até o limite fornecido. Para essa solução use redução e filtragem.

19 >Elabore uma função chamada `duplicar(n)` que tem por finalidade duplicar os elementos existentes em uma lista.

20 >Elabore uma função chamada `divisores(n)` que crie uma lista decrescente com os divisores do valor "`n`" informado. Para a realização deste exercício use as funções "`complista`" e "`múltiplo`".

21 >É sabido que dois números são amigos quando o somatório de cada um de seus divisores é igual ao outro. Por exemplo, os valores `220` e `284` são amigos pois a soma dos divisores de `220` resulta em `284` (`1+2+4+5+10+11+20+22+44+55+110`) e a soma dos divisores de `284` resulta em `220` (`1+2+4+71+142`). Assim sendo, crie uma função chamada `amigos(x, y)` que indique o resultado verdadeiro se os valores "`x`" e "`y`" fornecidos forem amigos, caso contrário a função deve retornar o valor falso.

22 >Elabore uma função chamada `penúltimo([x])` que retorne o penúltimo elemento de uma lista.

23 >Elabore uma função chamada `busca_ord(n, [x])` que retorne um elemento de uma lista a partir da indicação ordinal de sua posição, diferenciando-a da função `busca(n, [x])` que efetua a busca de forma cardinal.

24 >É sabido que palíndromo é uma sequência de elementos que pode ser lida igualmente tanto da esquerda para a direita, como da direita para a esquerda. Assim sendo, crie uma função chamada `palíndromo([x])` que retorne verdadeiro se a sequência fornecida pode ser lida igualmente de ambos os lados, caso contrário a função deve retornar o resultado falso.

25 >Elabore uma função chamada `segunda_pos([x])` que retorne o segundo elemento de uma lista a partir do uso das funções "`cauda`" e "`cabeça`".

26 >É sabido que os números naturais maiores que 1 podem ser decompostos em fatores. Assim sendo, determine os fatores primos de um determinado valor numérico inteiro positivo. A partir de uma função chamada `fatores_primos(n)` construa uma lista simples contendo os fatores primos do número fornecido. Por exemplo, os fatores primos do valor numérico natural 112 são 2, 2, 2, 2 e 7 e neste caso a função deve retornar a lista simples com os elementos `[2, 7]`.

27 >Produto cartesiano é a multiplicação entre pares ordenados pertencentes aos conjuntos "`A`" e "`B`". Considerando as listas `[1, 2, 3]` e `[4, 5]`, respectivamente, como os conjuntos "`A`" e "`B`", pode-se obter como produto cartesiano o resultado `[(1, 4), (1, 5), (2, 4), (2, 5), (3, 4), (3, 5)]`. Matematicamente o produto cartesiano de "`A`" x "`B`" é o conjunto de todos os pares ordenados `(x, y)` onde "`x`" pertence a "`A`" e "`y`" pertence a "`B`", ou seja, `A x B = {(x, y) / x ∈ A e y ∈ B)}`. Assim sendo, defina a função `prod_cartes([a], [b])` que apresente o produto cartesiano de duas listas como seus conjuntos.

28 >Um número abundante é um valor numérico para o qual a soma de seus divisores é maior do que o próprio número. O primeiro número abundante existente é 12 que possui como seus divisores os números 1, 2, 3, 4 e 6 que somados perfazem 16. O valor excedente entre 16 e 12, ou seja, 4 é a abundância entre a soma dos divisores de um número e a subtração pelo próprio número. Assim sendo, defina uma função chamada `abundante(n)` que informe verdadeiro se o valor é abundante ou falso caso o valor informado não seja abundante.

29 >Elabore uma função chamada `insira_em(valor, posição, [x])` que efetue a inserção de um elemento em certa posição ordinal de uma lista.

30 >Elabore uma função chamada `labundante(n)` que apresente os valores abundantes até o limite informado.

31 >Elabore uma função chamada `lista_n_1(n)` que crie e apresente uma lista de valores numéricos inteiros de "`n`" até `1`.

32 >Elabore uma função chamada `lista_1_n(n)` que crie e apresente uma lista de valores numéricos inteiros de `1` até "`n`" sem o uso da função `oposto([x])`. A apresentação dos valores deve ser exclusivamente controlada pela própria função.

33 >Elabore uma função chamada `calculadora(operador, [x], [y])` que receba como argumento `operador` uma função binária (+, -, *, / e ^) e duas listas "`x`" e "`y`". O retorno deverá ser uma lista formada pelos resultados operacionalizados a partir da função sobre os elementos correspondentes de cada lista. Caso as listas fornecidas para o cálculo sejam de tamanhos diferentes o resultado deverá ser baseado pela menor lista. Dica: para solucionar este exercício, inspire-se na função `compacta([a], [b])`.

34 >Escreva uma função chamada `faixa_primo(começo, final)` que apresente os números primos de uma faixa de valores indicada.

35 >Escreva uma função chamada `remover(n, [x])` que remova um elemento indicado da lista definida.

36 >Escreva uma função chamada `rmv_priult([x])` que remova o primeiro e último elementos da lista indicada.

37 >Escreva uma função chamada `rmv_pris([x])` que remova os "`n`" primeiros elementos da lista indicada.

38 >Escreva uma função chamada `rmv_parim([x], n)` que remove os elementos pares de uma lista se o argumento "`n`" for `0` ou que remova os elementos ímpares se o argumento "`n`" for `1` e caso seja dado qualquer outro valor ou indicar uma lista vazia deve ser devolvida uma lista vazia.

39 >Elabore uma função chamada `duplic_n_em_lista(n)` que duplique o valor fornecido dentro de uma lista. Se usado `duplic_n_em_lista(9)` deverá ser apresentado `[9, 9]`.

40 >Elabore uma função chamada `triplic_n_em_tupla(n)` que triplique o valor fornecido dentro de uma tupla. Se usado `triplic_n_em_tupla(8)` deverá ser apresentado `(8, 8, 8)`.

41 >Elabore uma função chamada `distrib_n(n, [x])` que distribua o valor "`n`" em pares com cada elemento de uma lista na forma de tuplas. Se usado `distrib_n(2, [9, 8, 7, 6, 5])` deve ser apresentado o resultado `[(2, 9), (2, 8), (2, 7), (2, 6), (2, 5)]`.

42 >Elabore uma função chamada `põe_em_pos(n, posição, [x])` que insira determinado elemento em uma posição cardinal de uma lista. Se executado `põe_em_pos(9, 2, [1, 2, 3, 4, 5])` deve ser apresentado como resposta `[1, 2, 9, 3, 4, 5]`.

43 >Escreva uma compreensão que produza uma lista com todos os valores numéricos inteiros de `1` até `60`, cujo resto quando dividido por `8` seja igual a `4`. Use nesta ação a função `div84(n)` criada no exercício do capítulo 3.

44 > Elabore uma função chamada `mostra_priult([x])` que apresente o primeiro e último elementos de uma lista fornecida. Se executado `mostra_priult([1, 2, 3, 4, 5])` deve ser apresentado `[1, 5]`.

45 > Elabore uma função chamada `soma_ac([x])` que efetue a soma subsequente dos elementos de uma lista e retorne como resposta uma lista contendo os valores somados elemento a elemento. Se executado `soma_ac([1, 2, 3, 4, 5])` deve ser apresentado `[1, 3, 6, 10, 15]`.

46 > Elabore uma função chamada `mult(x, y)` que efetue a multiplicação recursiva de dois valores numéricos por adição sem o uso do operador de multiplicação.

47 > Escreva os quadrados dos números ímpares de `10` a `30`.

48 > Escreva uma lista contendo apenas os valores pares da soma subsequente de uma lista contendo os cinco primeiros números naturais maiores que zero.

49 > Escreva uma função chamada `multip_faixa(x, y)` que apresente a multiplicação da faixa de valores estabelecida entre os valores "`x`" e "`y`". Se usado `multip_faixa(3, 5)` deverá ser retornado `60`, ou seja, `3 x 4 x 5`.

50 > Elabore uma função chamada `fat4(n)` que receba como argumento o parâmetro de um valor numérico inteiro e apresente o resultado do fatorial deste valor. Efetue a solução a partir do uso da função de multiplicação de faixa `multip_faixa(x, y)`.

51 > Escreva uma função chamada `somat_faixa(x, y)` que apresente o somatório da faixa de valores estabelecida entre os valores "x" e "y". Se usado somat_faixa(3, 5) deverá ser retornado 12, ou seja, 3 + 4 + 5.

52 >Elabore uma função chamada somat4(n) que receba como argumento o parâmetro de um valor numérico inteiro e apresente o resultado do somatório de 1 até o valor fornecido. Efetue a solução a partir do uso da função de multiplicação de faixa somat_faixa(x, y).

53 >Elabore uma função chamada média_arit([x]) que retorne a média aritmética dos elementos numéricos de uma lista.

54 >Desvio-padrão é uma medida que mostra o grau de dispersão indicando o quanto um conjunto de dados é uniforme. Quanto mais próximo do valor 0 for o desvio, mais homogêneo são os dados. Assim sendo, elabore uma função chamada desvio_padrão([x]) que retorne o desvio-padrão dos elementos numéricos de uma lista. O cálculo estatístico do desvio-padrão prevê calcular inicialmente a média aritmética da série de valores; depois calcule o quadrado da distância de cada elemento em relação ao valor obtido na média aritmética dos elementos e some esses valores; divida na sequência pela quantidade de elementos da lista, obtendo-se a variância populacional e por último calcular a raiz quadrada. Dica: use apenas as funções desenvolvidas nos exercícios de aprendizagem do capítulo e nos exercícios de fixação. Se for usado o conjunto de valores [8, 2.5, 3, 4] deverá ser retornado o resultado 2.1614520... como desvio-padrão.

55 >A variância é uma medida de dispersão que mostra o quão distante os valores de uma série estão da média, sendo esta parte da operação usada para o cálculo do desvio-padrão antes de calcular a raiz. Elabore uma função chamada var_populac([x]) que retorne a variância populacional de uma série

de valores numéricos. Se for usado o conjunto de valores `[8, 2.5, 3, 4]` deverá ser retornado o resultado `4.671875`.

56 > A média geométrica de um conjunto de números naturais é definida pelo produto dos elementos da lista elevado ao inverso do número de elementos. Desta forma, defina a função `média_geo([x])` que calcule a média geométrica de uma lista. Dica: Use a função `produto_lista([x])`.

INFORMAÇÕES ADICIONAIS

Este apêndice apresenta algumas informações adicionais complementares ao estudo apresentado neste livro. São indicadas informações sobre as linguagens Hope e Haskell, além das instruções de obtenção dos arquivos-brinde usados no desenvolvimento dos exercícios de aprendizagem e fixação.

A - LINGUAGEM HOPE

Hope é uma linguagem de programação experimental e minimalista que opera sob o paradigma funcional puro com definição de tipos para dados polimórficos, tipos de dados algébricos, correspondência de padrões e uso de listas preguiçosas (lista que atrasa a avaliação de uma expressão até ela ser necessária, evitando repetir avaliações utilizadas anteriormente) com funções de ordem superior, sendo uma linguagem de programação bastante poderosa dentro dos limites que opera. A linguagem foi desenvolvida por Rod M. Burstall, David B. Macqueen e Donald T. Sannella como trabalho apresentado para a Universidade de Edinburgh na Escócia, em 1978. Seu nome advém do local onde se situava o Departamento de Ciência da Computação e Inteligência Artificial da Universidade de Edinburgh: Hope Park Square como apontam Ince & Andrews (2014, p. 110).

O objetivo da linguagem é ser simples, permitindo a construção de programas claros e de fácil manutenção. Foi baseada nas linguagens LISP e ISWIM com influências de PROLOG, SCRATCHPAD, ML, SASL, OBJ, além das linguagens de programação produzidas por Burge e Backus, como indicam Burstall, Macqueen & Sannella, (1978, pp. 136–146). É a primeira linguagem a fazer uso do recurso call-by-pattern (chamada por padrão) que é um mecanismo de controle não determinístico que se caracteriza por ser um conjunto de condições indiretas de aplicabilidade definidas ao domínio de uma função a partir de seus argumentos.

Apesar da linguagem Hope nunca ter sido usada profissionalmente por ser centrada dentro do contexto acadêmico, ela pode e deve ser usada para o ensino do paradigma declarativo funcional de forma descontraída e com muita comodidade.

Na atualidade, há duas possibilidades para o uso da linguagem Hope a partir de duas versões de interpretadores, muito parecidos, disponibilizados para sistemas operacionais padrão UNIX (sistema operacional FreeBSD) e Windows.

Um dos primeiros interpretadores para a linguagem foi o programa ICHOPE, escrito em 1984 por Victor Wu Way Hung do Imperial College de Londres. Após o artigo publicado por Roger Baley, entre os anos de 1998 e 1999, o professor Ross Paterson da Universidade City, em Londres, manteve a distribuição de um interpretador Hope escrito em linguagem C para sistemas operacionais padrão UNIX, que se tornou referência de uso no sistema operacional FreeBSD e passou a ser usado como base para outros interpretadores descendentes.

Entre os anos de 2007 e 2012, Alexander A. Sharbarshin estendeu diversas funcionalidades do interpretador Hope, escrito por Ross Paterson, chamando seu produto como Hopeless sendo disponibilizado para os sistemas operacionais MacOS para plataforma PowerPC e Windows com o uso do programa Cigwin que pode ser encontrado no site http://shabarshin.com/funny/ [conteúdo em inglês].

O sistema operacional Windows dispõe de uma versão do interpretador Hope chamada Hope for Windows. Foi desenvolvida por Marco Alfaro, apresentada no ano de 2012 a partir do código fonte produzido pelo professor Ross Paterson e produzida no ambiente de desenvolvimento Visual Studio, encontrando-se sem atualização desde 2014, como pode ser constatado no site do autor http://hopelang.blogspot.com/ [conteúdo em inglês].

Considerando a disponibilidade do interpretador de linguagem Hope para os sistemas operacionais FreeBSD e Windows, apresenta-se a seguir as instruções de obtenção e instalação dos interpretadores.

Considerando o sistema operacional FreeBSD, basta como usuário root executar a instrução a seguir e aguardar o término da operação.

```
pkg intall hope
```

Assim que a instalação for concluída, para fazer uso da linguagem Hope, basta no prompt de qualquer usuário do sistema executar o comando.

```
hope
```

Considerando o sistema operacional Windows, sugere-se acessar o endereço:

```
http://hope.manzano.pro.br/ [conteúdo em português].
```

Localizar no texto do site **Language HOPE** a indicação **hope.zip (clique aqui)** e com o ponteiro do *mouse* acione o link *clique aqui* para copiar para seu computador o arquivo **home.zip**.

A partir da raiz do disco rígido crie um diretório chamado "hope" e descompacte dentro deste diretório o conteúdo do arquivo "hope.zip". Para fazer uso da linguagem HOPE no sistema operacional Windows entre no diretório "hope" e execute o programa "hope.exe".

A partir da execução do ambiente interativo da linguagem Hope, é apresentado como *prompt* operacional de trabalho da linguagem o símbolo “>:”. Para encerrar o ambiente interativo basta executar o comando **exit** seguido de ponto e vírgula.

A linguagem Hope instalada no FreeBSD possui, além do interpretador e do módulo padrão principal **Standard.hop**, um conjunto de módulos com diversos recursos escritos pelo professor Ross Paterson. A instalação no Windows possui apenas o módulo padrão principal **Standard.hop**.

Caso queira obter o conjunto de módulos do professor Ross Paterson para o interpretador Hope para Windows, acesse o endereço https://github.com/dmbaturin/hope/tree/master/lib [conteúdo em inglês], baixe o conteúdo do diretório **lib** e copie esse conteúdo para o diretório **hope**.

B - LINGUAGEM HASKELL

Haskell é uma linguagem de programação funcional pura de propósito geral criada entre 1987 e 1990, sendo derivada das linguagens funcionais Miranda e ML, e por muito tempo usada como linguagem acadêmica, ou seja, ficou situada apenas em universidades e foca as aplicações científicas. Possui suporte à definição de tipos para dados polimórficos, tipos de dados algébricos, correspondência de padrões, compreensões de listas, uso de guardas (não abordado neste livro) e avaliação preguiçosa. A linguagem foi desenvolvida por um grupo de pesquisadores e seu nome advém da homenagem feita ao matemático e lógico Haskell Curry.

A linguagem está disponível para obtenção gratuita no site www.haskell.org [conteúdo em inglês]. Basta selecionar a opção Downloads e escolher o sistema operacional desejado Linux, OS X ou Windows em “How to get them”. As instruções de instalação para cada sistema são resumidamente indicadas em seguida.

Ubuntu, Debian, Mint: sudo apt-get install haskell-platform

Fedora: sudo dnf install haskell-platform

Redhat: sudo yum install haskell-platform

OSX with Homebrew: brew cask install haskell-platform

OSX with MacPorts: sudo port install haskell-platform

Windows: baixar e instalar o arquivo HaskellPlatform-8.6.5-core-x86_64-setup.exe

Assim que a instalação for concluída, para fazer uso da linguagem Haskell, basta no prompt de qualquer usuário do sistema executar o comando.

```
cghi
```

A partir da execução do ambiente interativo da linguagem Haskell é apresentado como *prompt* operacional de trabalho da linguagem o símbolo **Prelude**>. Para encerrar o ambiente interativo, basta executar o comando **:quit**.

Para maiores detalhes consulte o site do desenvolvedor Haskell.

C - ARQUIVOS DE EXEMPLOS E GABARITO

Os exemplos de aprendizagem do livro, bem como as respostas dos exercícios de fixação, podem ser obtidos a partir do arquivo bonus_lpf.zip disponível no site da editora Alta Books (www.altabooks.com.br — procure pelo nome do livro ou ISBN). É pertinente salientar que o uso do arquivo de gabarito deve ocorrer para verificação das respostas produzidas, sendo uma maneira de validar sua aprendizagem. Não use as respostas com outra finalidade.

ÍNDICE

REFERÊNCIAS BIBLIOGRÁFICAS

ARAÚJO, S. L. & ACIÓLIY, P. Introdução ao Haskell. Bahia: Edições UESB, 2008.

BACKFIELD, J. Becoming functional: Steps for transforming into a functional programmer. California: O'Reilly Media, Inc., 2014.

BHADWAL, A. Functional programming: Concepts, advantages, disadvantages, and applications. Hackr.io, 2019. Disponível em: <https://hackr.io/blog/functional-programming>. Acesso em: 14 de agosto de 2019.

BIRD, R. & WADLER, P. Introduction to Functional Programming. Hemel Hempstead: Prentice Hall Internacional (UK) Ltd., 1988.

BURSTALL, R. M.; MACQUEEN, D. B. & Sannlla D. T. HOPE: An experimental applicative language. Dissertação em ciência da computação — Universidade de Endiburgo: Escócia, 1978.

DILLER, A. The Higher-order fold Functions. 2016. Disponível em: <http://www.cantab.net/users/antoni.diller/haskell/units/unit06.html>. Aceso em: 18 de agosto de 2017.

FEOFILOFF, P. Recursão e algoritmos recursivos. São Paulo: USP, 2016. Disponível em: <https://www.ime.usp.br/~pf/algoritmos/aulas/recu.html>. Acesso em: 22 de maio de 2018.

FORD, N. Functional thinking: Paradigm over sintax. California: O'Reilly Media, Inc., 2014.

INCE, D. & ANDREWS, D. The Software Life Cycle. London: Butterworth, 1990.

LIPOVACA, M. Learn you a Haskell for great good: A beginner's guide. San Francisco: No Starch Press, 2011.

MANZANO, A. N. G. M. Linguagem HOPE. São Paulo: Propes Vivens, 2019.

MENEZES, P. B. Matemática discreta para computação e informática. 3. ed. Porto Alegre: Bookman, 2010.

MOURA, H. A. S. Programação funcional profissional em Scala. Quixada: HM Software, 2019. Disponível em: <http://hmsoftware.com.br/>. Acesso em: 28 de agosto de 2019.

SEBESTA, R. W. Conceitos de linguagens de programação. 11a. ed., Porto Alegre: Bookman, 2018.

CONHEÇA OUTROS LIVROS DA
ALTA BOOKS

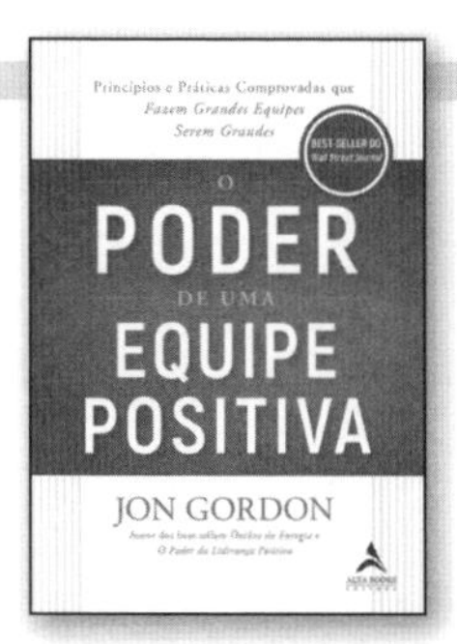

Todas as imagens são meramente ilustrativas.

CATEGORIAS

Negócios - Nacionais - Comunicação - Guias de Viagem - Interesse Geral - Informática - Idiomas

SEJA AUTOR DA ALTA BOOKS!

Envie a sua proposta para: autoria@altabooks.com.br

Visite também nosso site e nossas redes sociais para conhecer lançamentos e futuras publicações!

www.altabooks.com.br

/altabooks ▪ /altabooks ▪ /alta_books

ROTAPLAN
GRÁFICA E EDITORA LTDA
Rua Álvaro Seixas, 165
Engenho Novo - Rio de Janeiro
Tels.: (21) 2201-2089 / 8898
E-mail: rotaplanrio@gmail.com